SABINE DUPRÉ LA TOUR / GENEVIÈVE-DOM

Université Paris III

PREMIERS EXERCICES DE GRAMMAIRE

HATIER

SOMMAIRE

ISBN 2-218-**06300**-X

AVANT-PROPOS

Objectifs et contenu

Ce cahier a pour objectif le repérage et la pratique systématique des marques morphosyntaxiques du français dans des situations de communication qui présentent un fonctionnement quasi-authentique de la langue. Les exercices devraient amener l'étudiant à une plus grande maîtrise de l'expression écrite.

Comme textes d'appui, on trouvera :
— des énoncés en dialogue qui restent proches d'une langue orale standard.
— des imitations de documents écrits rencontrés dans la vie quotidienne : fiche d'état civil, faire-parts, publicités, etc.
— quelques documents authentiques choisis pour illustrer une difficulté morphosyntaxique.

Ainsi, l'élève sera mis en contact avec des situations langagières typiquement françaises.

Ces énoncés peuvent sembler parfois difficiles à lire, mais grâce à la thématique, la compréhension globale en demeure relativement aisée[1]. Par ailleurs, les exercices restent élémentaires dans leur ensemble et se présentent très souvent sous forme d'**exercices à trous,** choisis pour respecter la perspective situationnelle adoptée. Ceci ne devrait pas pour autant provoquer un travail purement automatique car la conception pédagogique et l'objectif grammatical des dossiers veulent avant tout amener l'élève à réfléchir sur les faits de langue qu'il pratique.

Dans cette perspective, il faudra que l'enseignant attire l'attention des élèves sur l'importance des **encadrés de conceptualisation,** lieu de l'explication et de la description, par les apprenants eux-mêmes, des marques qui leur auront été présentées. Ils les réinvestiront ensuite dans des productions plus libres prévues dans la progression des exercices de chaque dossier et aboutiront à l'élaboration personnelle de courts textes : objectif ultime du cahier.

Conseils d'utilisation

L'ordre des 20 dossiers répond thématiquement aux besoins langagiers de la communication quotidienne et la progression grammaticale suit généralement celle des méthodes audio-visuelles intégrées type « de Vive Voix » du C.R.E.D.I.F. Naturellement, cet ordre n'est pas impératif : libre au professeur de choisir sa progression en fonction des besoins grammaticaux et/ou thématiques de sa classe.

Le plan de chaque dossier est rigoureusement conçu en fonction de quatre activités essentielles d'apprentissage :

1. **Encadré initial :** observation et découverte des marques morphosyntaxiques mises en évidence par des caractères gras soulignés.
2. **Exercices signalés par un losange :** application systématique de ces marques.
3. **Exercices signalés par un cercle :** vérification de l'acquisition du micro-système à travers des productions plus libres.
4. **Encadré final :** formulation de la règle.

A noter :

a. Dans les premiers dossiers, une formule de synthèse est proposée, mais par la suite, les élèves sont invités à formuler eux-mêmes, éventuellement en langue maternelle, leur compréhension de la (ou des) règle(s) de grammaire.

b. Dans les dossiers consacrés à l'apprentissage des formes verbales, on remarquera la présence d'un encadré général de conceptualisation et d'un encadré signalé par le mot « attention ». Il s'agit là de tableaux synoptiques regroupant les verbes selon une similitude des terminaisons ou une analogie des variations du radical et non pas selon les catégories traditionnelles des trois groupes de verbes. Sont regroupés par exemple :
— « lire » et « finir » dans le dossier consacré à la morphologie des trois personnes du singulier.
— « finir » et « connaître » dans le dossier consacré à la morphologie des trois personnes du pluriel.

De plus, dans ces mêmes tableaux, des pointillés horizontaux sont prévus pour opposer les listes de verbes non exhaustives aux listes exhaustives (il s'agit des verbes jugés courants et utiles, généralement enseignés au niveau 1).

Si l'**encadré final** peut être déplacé selon les besoins de la classe, l'**encadré initial** doit être le point de départ du travail dans le respect d'une pédagogie de la découverte. Le professeur est invité à s'attarder sur cet encadré pour que l'élève comprenne bien toutes les composantes de la situation : lieu, temps, personnages et intentions de communication. Une simulation peut être envisagée pour vérifier cette compréhension.

Les **exercices losanges** peuvent être travaillés en mini-groupes, l'entraide des élèves stimulant souvent leur réflexion grammaticale et évitant l'intervention du maître dont le rôle sera de signaler la présence d'une erreur et d'inciter les étudiants à trouver la solution au problème ainsi posé. La typographie adoptée (caractères gras) est d'ailleurs destinée à guider l'élève et devrait lui permettre de se corriger lui-même. Par la réflexion sur ses propres erreurs, celui-ci assimilera progressivement le système morphosyntaxique étudié.

Les auteurs ont pu vérifier qu'ainsi utilisé, ce cahier suscitait chez leurs élèves l'autonomie et la créativité, sources de dynamisme dans l'apprentissage.

(1) Et l'utilisation du dictionnaire n'est pas interdite !

DOSSIER 1

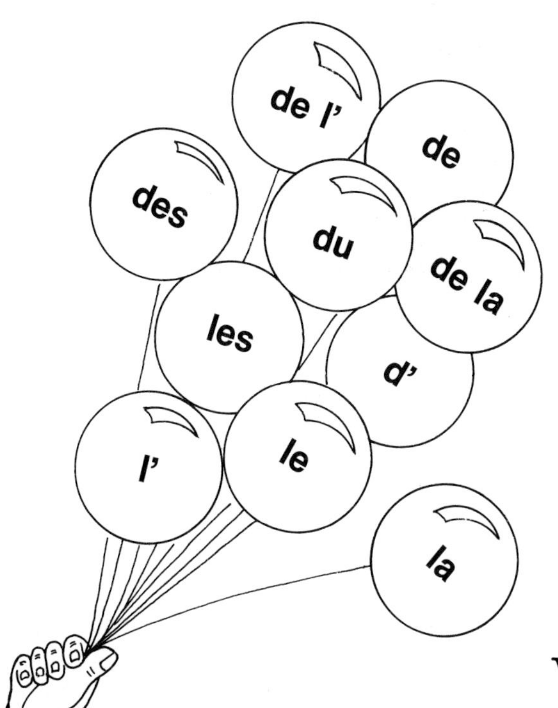

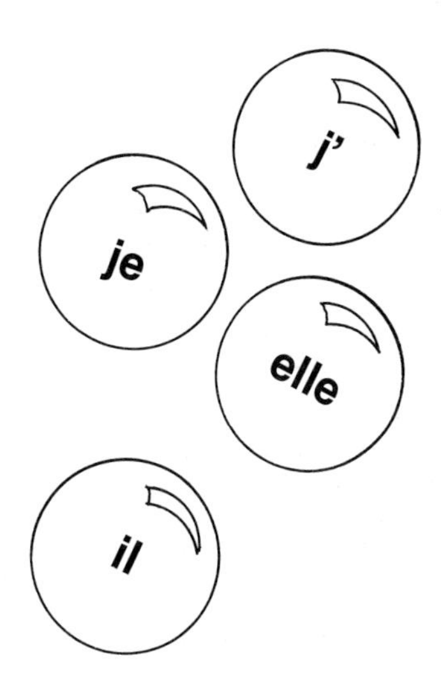

Vos papiers, s'il vous plaît?

Fiche d'état civil de Monsieur Saule

Nom : Saule
Prénom : Philippe
Date de naissance : 15 avril 1935
Lieu de naissance : Rouen
Nationalité : français
Profession : pharmacien
Adresse : 20, rue de la Mer, Deauville

Monsieur Saule : « Je m'appelle Philippe Saule, je suis français, je suis né le 15 avril 1935 à Rouen, je suis pharmacien et j' habite 20, rue de la Mer, à Deauville. »

Fiche d'état civil de l'étudiant

Nom : ....
Prénom : ....
Date de naissance : ....
Lieu de naissance : ....
Nationalité : ....
Profession : ....
Adresse : ....

L'étudiant : « ....
....
....
.... »

Un journaliste interviewe Monsieur Rivière :

- Quel est votre nom ?	Rivière
- Quel est votre prénom ?	Laurent
- Quelle est votre date de naissance ?	le 24 juin 1940
- Quel est votre lieu de naissance ?	Paris
- Quelle est votre nationalité ?	je suis français
- Quelle est votre profession ?	médecin
- Quelle est votre adresse ?	15, place de la République, Deauville.

Rapport du journaliste : «Monsieur Rivière est français, **il** s'appelle Laurent, **il** est né le 24 juin 1940, à Paris, **il** est médecin, **il** habite 15, place de la République, à Deauville.»

Deuxième interview. Notes :

- Saule Sophie
- née le 22 novembre 1960, à Deauville
- française
- étudiante
- 10, rue Monsieur le Prince, Paris

Rapport du journaliste : « Mademoiselle Sophie Saule est française, **elle** est née le 22 novembre 1960, à Deauville, **elle** est étudiante, **elle** habite 10, rue Monsieur-le-Prince, à Paris. »

Troisième interview. Notes :

- Duchêne Louis
- né le 29 octobre 1942 à Lille
- français
- commerçant
- 13, avenue de la plage, Deauville

Rapport du journaliste : « Monsieur Duchêne est français. .... s'appelle Louis, ... est né .... à Lille, ... est commerçant, ... habite ....»

Quatrième interview. Notes :

- Rivière Anne-Marie
- née le 9 décembre 1945 à Nice
- française
- secrétaire
- 15, rue Pascal, Nice

Rapport du journaliste : « Anne-Marie Rivière est née .... à Nice, ... est française, ... est secrétaire, ... habite 15, rue Pascal à Nice.»

3 Et votre camarade ?

« ....

....

....

....

.... »

♂ et ♀	**Je**	suis médecin
	J'	habite à Paris.
♂	**il**	habite à Paris
♀	**elle**	

Un journaliste interviewe Pierre Saule sur ses parents :

- Quel est **le** nom de votre mère ?	Saule
- Quel est **le** prénom de votre mère ?	Janine
- Quel est **l'**âge de votre mère ?	45 ans
- Quelle est **la** profession de votre mère ?	professeur de chimie
- Quel est **le** prénom de votre père ?	Philippe
- Quelle est **la** profession de votre père ?	pharmacien
- Quelle est **l'**adresse de votre père ?	20, rue de la mer, Deauville
- Quel est **le** numéro de téléphone de votre père ?	10.42.36

Au bureau des inscriptions universitaires

- Quel est .... nom de votre mère ?

- Quel est .... prénom de votre mère ?

- Quel est .... âge de votre mère ?

- Quel est .... prénom de votre père ?

- Quelle est .... professsion de votre père ?

- Quelle est .... adresse de votre père ?

- Quel est .... numéro de téléphone de votre père ?

le nom ♂	**la** profession ♀
l' étudiant ♂	**l'** adresse ♀

Il sait tout, ce journaliste !

<u>**C'est**</u> <u>**la**</u> voiture <u>**de**</u> Monsieur Saule.
<u>**C'est**</u> <u>**l'**</u> appartement <u>**de**</u> Sophie Saule.
<u>**C'est**</u> <u>**le**</u> passeport <u>**de**</u> Pierre.
<u>**Ce sont**</u> <u>**les**</u> parent**s** <u>**d'**</u>Anne Rivière.
<u>**Ce sont**</u> <u>**les**</u> papier**s** <u>**de**</u> Sophie.

Et il continue!

1. C'est .... père .... Sophie.
2. C'est .... mère .... Pierre.
3. .... fille .... M. Saule.
4. Ce sont .... amie**s** de Sophie.
5. .... **les** enfant**s** .... M. Fromentin.
6. .... parent**s** .... Pierre.
7. .... **le** frère .... Sophie.
8. .... grand-mère .... Pierre Saule.
9. .... fils .... M. Saule.
10. .... papier**s** .... Anne.
11. .... **a**mi .... Sophie.
12. .... **a**ppartement .... Laurent Rivière.
13. .... client**s** .... M. Rivière.
14. .... pharmacie .... M. Saule.
15. .... **a**dresse .... **E**ric.

(1) <u>**C'est**</u>	<u>**la**</u> pharmacie <u>**le**</u> fils	<u>**de**</u> M. Saule
(1 + ...) <u>**Ce sont**</u>	<u>**les**</u> enfants	

Déclaration de naissance à la mairie

Nom **de l'**enfant	: Fromentin
Prénom **de l'**enfant	: Didier
Sexe **de l'**enfant	: Masculin
Date **de la** naissance	: 25 décembre 1981
Heure **de la** naissance	: 15 heures
Nom **du** père	: Fromentin
Prénom **du** père	: Roger
Nom **de la** mère	: Lavigne
Prénom **de la** mère	: Francine
Adresse **des** parents	: 2, rue des Bains, Deauville
Profession **du** père	: boulanger
Profession **de la** mère	: boulangère

6 Inscription universitaire

Nom .... étudiant : ....

Prénom .... étudiant : ....

Adresse .... parents : ....

Numéro de téléphone .... parents : ....

Profession .... père : ....

Profession .... mère : ....

Adresse .... étudiant : ....

7 Mais oui, c'est ça !

15, place de la République, Deauville	c'est l'adresse de Monsieur Rivière.
22 novembre 1960	.... Sophie.
Pharmacien	.... Monsieur Saule.
512.34.76	.... médecin.
Didier	.... boulangère.

8 Ce n'est pas simple, n'est-ce-pas?

oncle	....
grand-mère	c'est la mère du père ou de la mère.
cousin	....
gendre	....
tante	....
grands-parents	....

9 Famille Fromentin et famille Lavigne

René — Paulette
- Alice
- Roger — Francine
  - Denis
  - Claire
  - Didier

Jacques — Marie
- Francine
- Bruno — Blandine

- Qui est Alice? ....
....

- Qui est Bruno? ....
....

- Qui sont Jacques et Marie? ....
....

- Qui est Claire? ....
....

<table>
<tr><td rowspan="2">Quelle est l'adresse</td><td>♂ <u>du</u> père?
<u>de l'</u>enfant?</td><td>♀ <u>de la</u> mère?
<u>de l'</u>étudiante?</td><td>(1 + ...)
<u>des</u> enfants?</td></tr>
<tr><td colspan="3"><u>de</u> Sophie Saule?
<u>d'</u> Anne Rivière?</td></tr>
</table>

DOSSIER 2

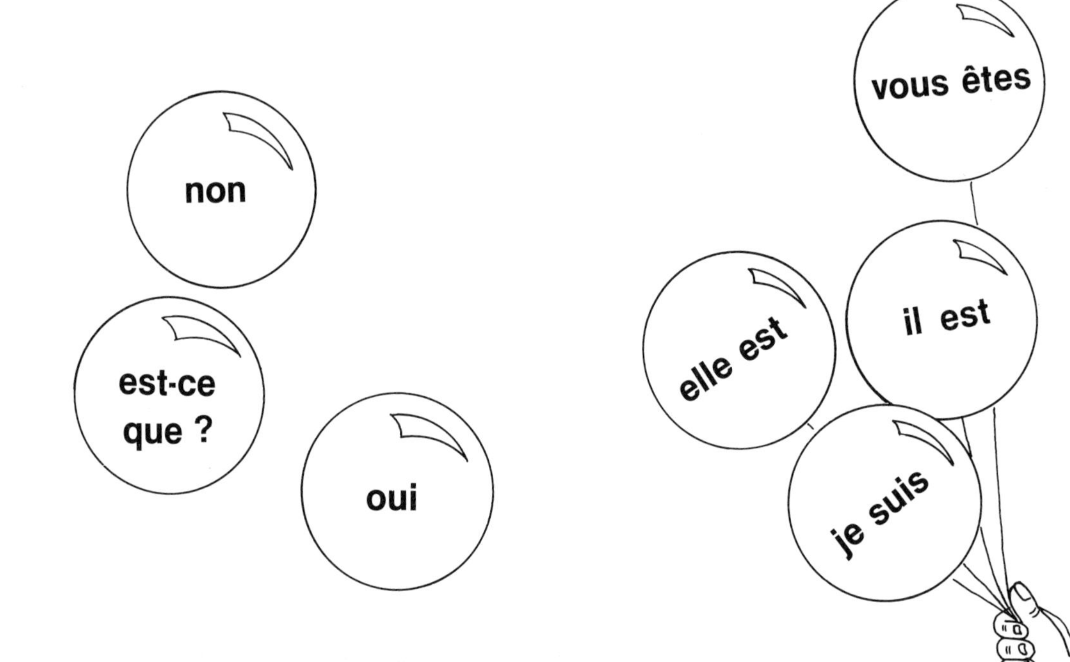

Qu'est-ce que vous faites dans la vie?

Professions et métiers

- **Est-ce que** Pierre **est** médecin?
- Non, **il est** pilote.
- **Est-ce que** Mme Saule **est** secrétaire?
- Non, **elle est** professeur de chimie?
- **Est-ce que vous êtes** technicien?
- Non, **je suis** ingénieur.

Vous le savez bien!

1. - .... M. Leducois .... médecin?
   - Non, ... journaliste.
2. - Est-ce que M. Saule .... économiste?
   - Non, ... pharmacien.
3. - .... M. Rivière .... chimiste?
   - Non, ... médecin.
4. - .... M. Fromentin .... facteur?
   - Non, ... boulanger.
5. - Est-ce qu'Anne Rivière .... photographe?
   - Non, ... libraire.
6. - .... Mme Leducois .... pianiste?
   - Non, ... guitariste.
7. - .... vous êtes libraire?
   - Non, ... bibliothécaire.
8. - .... vous .... violoniste?
   - Non, ... flûtiste.
9. - .... vous .... peintre?
   - Non, ... sculpteur.
10. - .... vous .... vétérinaire?
    - Non, ... dentiste.
11. - .... vous .... architecte?
    - Non, ... urbaniste.

Cartes de visite

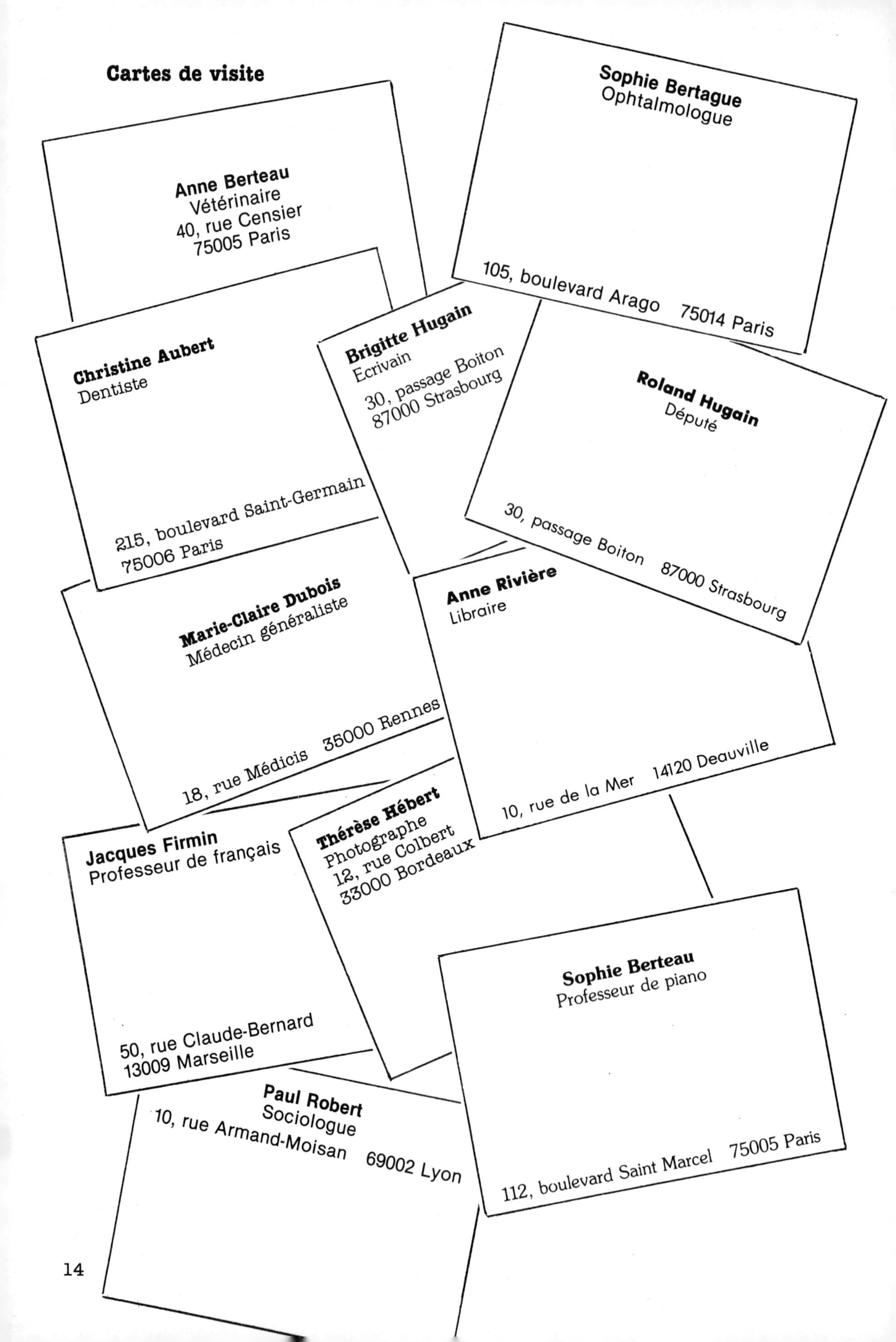

② Vous les connaissez, n'est-ce pas?

1. Madame Anne Berteau habite 40, rue Censier à Paris ; elle est vétérinaire.
2. Mademoiselle Brigitte Hugain ....

....

3. Monsieur Jacques Firmin ....

....

4. Monsieur Roland Hugain ....

....

5. Mademoiselle Thérèse Hébert ....

....

6. Madame Sophie Berteau ....

....

7. Mademoiselle Anne Rivière ....

....

8. Monsieur Paul Robert ....

....

9. Madame Christine Aubert ....

....

③ Mini-interviews

1. - Anne Berteau, quelle est votre profession?

   - ....

2. - Sophie Berteau, qu'est-ce que vous faites dans la vie?

   - ....

3. - Roland Hugain, vous êtes député, n'est-ce pas?

   - ...., ...

4. - Anne Rivière, quelle est votre profession?

   ....

5. - Paul Robert, quelle est votre profession?

   ....

6. - Thérèse Hébert, qu'est-ce que vous faites dans la vie?

   ....

7. - Marie-Claire Dubois vous êtes dentiste, n'est-ce pas?

   - ...., ...

④ Jeu des devinettes

1. - Anne Rivière, qu'est-ce que vous faites dans la vie?
   - Devinez!
   - Est-ce que vous êtes professeur?
   - Non.
   - Est-ce que vous êtes médecin?
   - Non.
   - Est-ce que vous êtes libraire?
   - Oui!

2. - Roland Hugain, ... ?
   - Devinez!
   - .... ?
   - Non.
   - .... ?
   - Non.
   - .... ?
   - Oui!

3. - Anne Berteau, ... ?
   - Devinez!
   - .... ?
   - Non.
   - .... ?
   - Non.
   - .... ?
   - Oui!

4. - Monsieur Saule, ... ?
   - Devinez!
   - .... ?
   - Non.
   - .... ?
   - Oui! Je suis pharmacien.

- **Est-ce que** .... ?
- Oui/non ....

♂ et ♀	**vous êtes** / **je suis**	médecin	♂ **il est** / ♀ **elle est** dentiste

DOSSIER 3

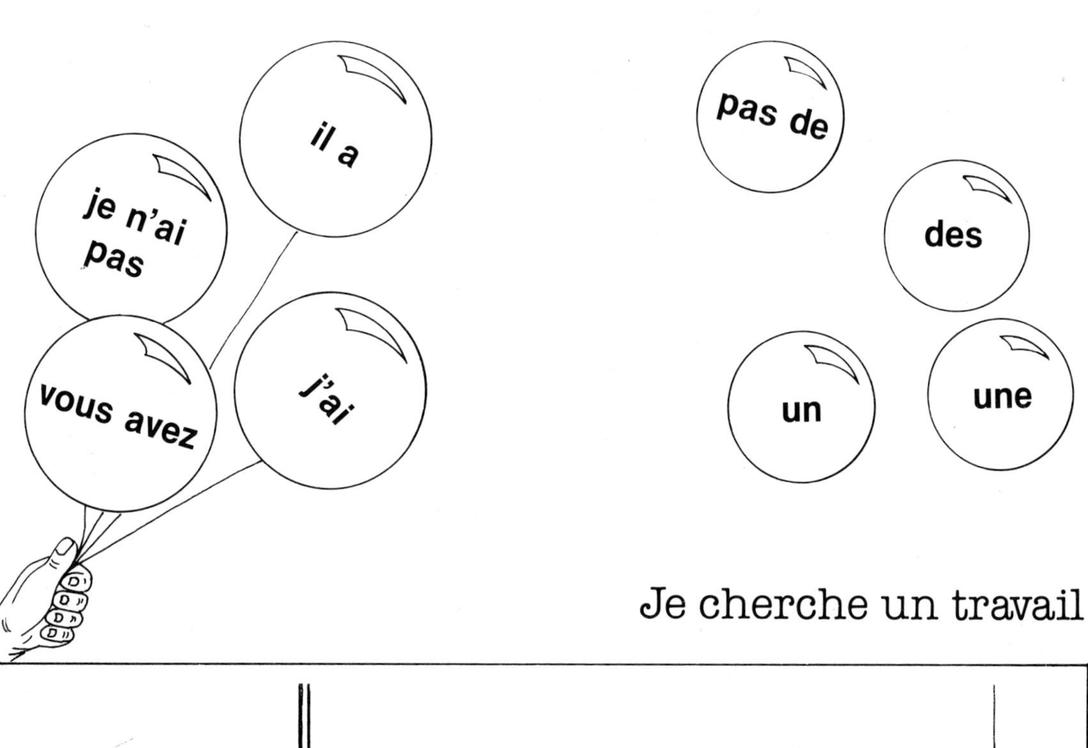

Je cherche un travail

Au bureau du personnel

LE CHEF DU PERSONNEL : Est-ce que **vous avez** le baccalauréat?
MARIO MARIANI : Oui, **j'ai** le baccalauréat et **j'ai** aussi une licence de chimie mais **je n'ai pas** la carte de travail.

Questionnaire à remplir par le candidat

(La mention inutile est rayée.)

1. Est-ce que vous avez une licence?	Oui	~~Non~~
2. Est-ce que vous .... une maîtrise?	Oui	~~Non~~
3. Est-ce que .... avez un doctorat?	Oui	~~Non~~
4. .... vous avez une adresse à Paris?	Oui	~~Non~~
5. Est-ce que .... le téléphone?	~~Oui~~	Non
6. .... avez des amis à Paris?	Oui	~~Non~~
7. .... de l'expérience?	Oui	~~Non~~
8. .... vous .... le permis de conduire?	~~Oui~~	Non

Réponse écrite du candidat : « ....
....
....
.... »

2 Vous cherchez un travail

Questionnaire :

1. Est-ce que vous avez le téléphone?	Oui	Non
2. Est-ce que vous avez le permis de conduire?	Oui	Non
3. Est-ce que vous avez la carte de séjour?	Oui	Non
4. Est-ce que vous avez le permis de travail?	Oui	Non
5. Est-ce que vous avez la sécurité sociale?	Oui	Non
6. Est-ce que vous avez le baccalauréat?	Oui	Non

Votre réponse écrite : « ....
....
....
....
....
....
.... »

- Est-ce que **vous avez** le téléphone?
- Oui, **j'ai** le téléphone.
- Non, **je n'ai pas** le téléphone.

Dans une agence Manpower

ALAIN DUBOIS : Je cherche **un** travail d'électricien.
L'EMPLOYÉ : Vous avez **un** diplôme? Vous avez **une** spécialité? Vous avez **des** référence**s?**
ALAIN : Oui, monsieur.
L'EMPLOYÉ : Vous avez quel âge?
ALAIN : 21 ans.

Note de l'employé : « Monsieur Alain Dubois cherche un travail d'électricien. **Il a** un diplôme, **il a** une spécialité. **Il a** des références. **Il a** 21 ans. »

Dans la même agence

ANNIE BERTEAU : Je cherche .... travail de secrétaire.

L'EMPLOYÉ : Vous avez quel âge?

ANNIE : 23 ans.

L'EMPLOYÉ : Vous avez .... spécialité? Vous avez .... diplôme? Vous avez .... référence**s**?

ANNIE : Oui, voilà les papiers.

Note de l'employé : « Mademoiselle Annie Berteau cherche .... travail de secrétaire.
Elle .... 23 ans.
Elle .... une spécialité, ... un diplôme, ... des référence**s**. »

A l'Agence Nationale pour l'emploi

MARIE HEBERT : Je cherche **un** emploi de coiffeuse.
L'EMPLOYÉ : Vous avez **un** diplôme, **une** spécialité, **des** références ?
MARIE HEBERT : Non.

Note de l'employé : « Mademoiselle Hébert cherche un emploi de coiffeuse ; mais elle **n'**a **pas de** diplôme, elle **n'** a **pas de** spécialité, et elle **n'** a **pas de** références. »

4 C'est toujours le même problème !

PATRICE RIVIERE : Je cherche .... emploi de vendeur.

L'EMPLOYÉ : Vous avez .... spécialité, ... certificat ou .... lettres d'employeurs ?

PATRICE RIVIERE : Non.

Note de l'employé : « Monsieur Rivière demande un travail de vendeur ;

mais il .... spécialité, il .... certificat, il .... lettres d'employeurs. »

Il y a toujours quelque chose qui manque !

1. Isabelle Hugain a .... diplôme de professeur
   mais elle n'a .... travail.
2. Pierre Dubois a .... emploi de comptable
   mais .... n'a .... diplôme.
3. Didier a .... lettres d'employeurs
   mais il ....a .... diplôme.
4. Henrique .... une carte de travail
   mais il .... travail.
5. Mario .... travail de vendeur
   mais il .... expérience.
6. Thérèse .... un diplôme de photographe
   mais elle .... références.
7. Christophe .... un diplôme de journaliste
   mais .... emploi.
8. Ahmed .... un emploi
   mais .... papiers.

⑥ Demandes d'emploi

Qui est-ce?
Qu'est-ce qu'ils cherchent?

Jeune homme 25 ans cherche emploi mécanicien. Certificat d'aptitude professionnelle. Expérience de 3 ans. Paul Duparc 3, rue des Vents, 14300 Caen

Paul Duparc **a** 25 ans. Il cherche **un** emploi de mécanicien. **Il a un** certificat d'aptitude professionnelle et **une** expérience de trois ans.

Jeune fille 22 ans avec machine à écrire et références, cherche travail à domicile. Claire Fromentin 2, rue des Bains, 14120 Deauville - Tél. 15.11.42

Claire Fromentin ....
....
....
....
....

Etudiant étranger sans logement, sans famille, cherche chambre dans famille française. Jan Sivosky, Hôtel Moderne 180, bd de la Gare, 75012 Paris

Jan Sivosky ....
....
....
....
....

Homme 46 ans, famille nombreuse, sans emploi, cherche travail de plombier. Robert Barot 14, rue Leblanc, 35000 Rennes

Robert Barot ....
....
....
....
....

j'ai ♂ **il a** ♀ **elle a**		**un** certificat **une** spécialité **des** références	+
je **n**'ai ♂ il **n**'a vous **n**'avez ♀ elle **n**'a	**pas de**	certificat spécialité références	—

DOSSIER 4

Les connaissez-vous?

La concierge est à sa fenêtre :

- Vous connaissez **cet h**omme brun ?
- Oui, c'est le pharmacien, Monsieur Saule.
- Et **ce** petit jeune homme, à côté de lui ?
- C'est mon nouveau locataire anglais, il connaît les Saule.
- Il est là depuis longtemps ?
- Non, depuis **cette** anné**e**.
- Et **ces** jeune**s** fille**s**, elles habitent aussi dans **cet i**mmeuble ?
- Ah non, Monsieur, ce sont les filles de M. Saule.

Quels bavards !

1. - .... dame en blanc, c'est la femme de M. Saule.
2. - Vous connaissez .... jeune**s gens** ?
   - Non, pas du tout.
3. - Pourquoi regardent-ils .... voiture ?
   - Ah ça, je ne sais pas !
4. - .... enfant**s** viennent souvent ici ?
   - Oui ! Tous les soirs dans .... jardin.
5. - Vous voyez .... **a**gent, en face ?
   Il a gagné 20.000 F au loto !
   - Qu'est-ce qu'il va faire de .... **a**rgent ?
6. - .... rue est vraiment animé**e**, avec tous .... touriste**s** !

2 Et ça continue !

1. - A qui est .... ?
   - C'est la voiture de M. Saule.
2. - Vous connaissez .... ?
   - Bien sûr, c'est la petite amie de l'Anglais.
3. - A quelle heure ouvre .... ?
   - A neuf heures trente.
4. - Vous savez où travaillent .... ?
   - Ils travaillent à l'hôtel Beauséjour, je crois.
5. - .... est confortable ?
   - C'est un hôtel quatre étoiles, Monsieur !

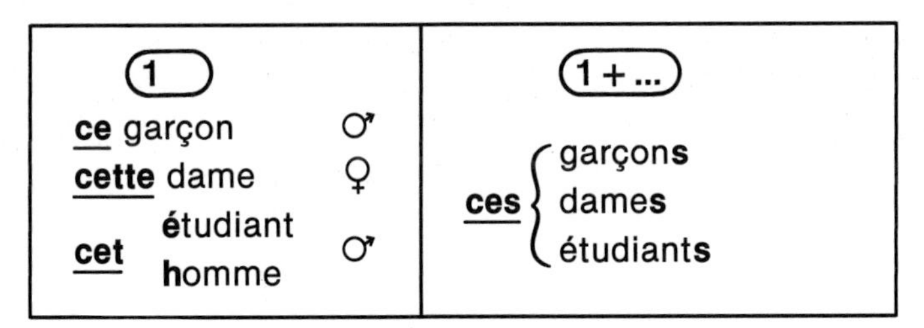

1		1 + ...
ce garçon	♂	**ces** garçon**s**
cette dame	♀	**ces** dame**s**
cet **é**tudiant / **h**omme	♂	**ces** étudiant**s**

Edward passe par là :

- Vous avez une amie **française** très **sympathique**, Monsieur Edward.
- Sophie Saule?
- Oui, c'est ça. Elle n'est pas **mariée**, n'est-ce pas?
- Non! Elle est **jeune**, elle a 20 ans; elle est encore **étudiante**.
- Et Pierre Saule aussi est **français**, **étudiant** et **célibataire**, n'est-ce pas?
- Il est **français**, bien sûr! mais il n'est plus **étudiant**. Il est **pilote** et il est déjà **marié**.
- Pourtant il est très **jeune**! Il est **riche** peut être?
- Oh! Il n'est pas **pauvre**! Sa famille est plutôt **riche**! Le père est **pharmacien**, la mère est **professeur** et la tante de Pierre est **millionnaire**, **célibataire**, et **très âgée**!
- Ah! Je comprends...

Le saviez-vous? (voir page 25)

1. M. Saule n'est pas anglais, il est français.
2. Sophie Saule n'est pas argentin**e**, elle est ....
3. Monsieur Rivière est ....
4. Mme Saule n'est pas ....
5. Monsieur Fromentin ..... est pas ...., il a 50 ans!
6. M. Saule a **une** voiture ....
7. John Smith est **un** chanteur ....
8. Sophie a **une** amie ....
9. **La** femme de M. Fromentin ....
10. Mais non, Sophie Saule n'est pas ....
11. **La** fille de M. Rivière est toujours ....
12. Mais c'est **une** fille très ....
13. Mme Lee ..... est ...., **elle** .... anglais**e**.
14. Sophie Saule ..... est ....
15. Mais **elle** n'habite pas .... à Paris.
16. Vous ne connaissez pas M. Omar? C'est **un** journaliste ....
17. Mme Saule est .... et ....
18. Pierre Saule est .... et ....
19. **Il** n'est pas ....; **il** ....
20. Mme Rivière est ....; M. Rivière est ....

1. français / française?
2. normand / normande?
3. divorcé / divorcée?
4. brun / brune?
5. âgé / âgée?
6. allemand / allemande?
7. anglais / anglaise?
8. espagnol / espagnole?
9. blond / blonde?
10. grand / grande?
11. fatigué / fatiguée?
12. intelligent / intelligente?
13. chinois / chinoise?
14. marié / mariée?
15. seul / seule?
16. turc / turque?
17. aimable, serviable
18. célibataire, sympathique
19. pauvre, riche
20. timide, bavard / bavarde?

4 Questions à 10 F

1. - Est-ce que vous êtes français(e)?

   - ...., ...

2. - Est-ce que vous êtes marié(e)?

   - ...., ...

3. - Est-ce que vous êtes seul(e)?

   - ...., ...

4. - Est-ce que le boxeur Mohamed Ali est arabe?

   - ...., ...

5. - Est-ce que Ingrid Bergman est bulgare?

   - ...., ...

6. - Quelle est la nationalité du pape actuel?

   - ....

7. - Brigitte Bardot est née en 1936; elle est jeune?

   - ...., ...

Cancans de rue

1. - Mme Saule est **professeur**; M. Saule aussi?

   - Mais non, **il** est ....

2. - M. Rivière est **médecin**; Mme Rivière aussi?

   - Non, **elle** n'est pas ....; **elle** est **assistant**..... **social**.....

3. - La fille de M. Rivière est toujours **célibataire**?

   - Mais non, **elle** .... depuis 1 an.

4. - M. Fromentin est **maigre**, n'est-ce pas? Et Mme Fromentin?

   - **Elle** .... aussi!

5. - Pierre Saule est **grand, fort, athlétique**. Il est **pilote** à Air-France.

   - Et Sophie Saule?

   - Ah! **Elle** est ...., ... et ....

   comme Pierre. **Elle** est **étudiant**..... à la Sorbonne.

6. - **Elle** n'est pas ...., n'est-ce pas?

   - Pas encore, mais **elle** est déjà **fiancé**.....

7. - Pierre Saule est **timide** et **complexé**.
   - Et Sophie?
   - **Elle** est aussi .... et ....
   - **Elle** est **blonde**?
   - Non, **elle** est .... comme M. Saule.
   - Et Pierre Saule?
   - **Il** est .... comme Sophie!
8. - Vous connaissez M. et Mme Paulet?
   - Bien sûr! M. Paulet est ....; il a 70 ans. Il est **libraire**.
   - Et Mme Paulet?
   - Elle a 25 ans! **Elle** est ....; **elle** est .... aussi.
9. - **Elle** n'est pas **français**....., n'est-ce pas?
   - Non, **elle** est ...., de Buenos Aires!
10. - **Elle** est très **grande** et très **brune**, n'est-ce pas?
    - Pas du tout! **Elle** est .... et ....!

⑥ Et votre voisin(e), comment est-il (elle)?

1. **Nationalité :** il / elle est ....
2. **Taille :** il / elle est ....
3. **Poids :** il / elle est ....
4. **Couleur des cheveux :** il / elle est ....
5. **Caractère :** il / elle est ....

....

Possibilités :

- français / arabe / argentin
- grand / petit
- blond / brun
- fort / maigre, mince

- timide, réservé / bavard
- intelligent / idiot
- serviable / égoïste
- athlétique / fragile

- aimable / désagréable
- gai / triste
- sympathique, drôle

1 ♀ et ♂	**2** ♀	♂
célibataire	grand**e**	grand
jeune	marié**e**	marié
aimable	français**e**	français
sympathique		
...	...	...

DOSSIER 5

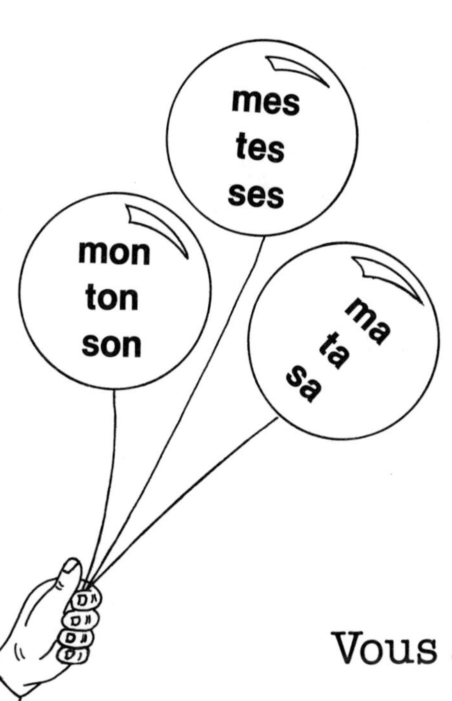

Vous avez des nouvelles des Saule?

MON VIEIL AMI !...
MON VIEUX MANOIR.
MON TRES VIEUX CHÊNE
MES VIEUX TACOTS.
MES VIEILLES BOUTEILLES
MES VIEUX TABLEAUX
MON VIEUX SERVITEUR
MA FEMME
Hoviv
© HOVIV

Madame Saule reçoit des amis

- Je vous présente **mon** fils, **ma** mère, **mon** amie Catherine et **mes** amis canadiens.
Voilà **ma** nouvelle villa!
Mes autres invités **sont** en retard.

Bribes de conversation

1.- .... amis ne **sont** pas français: ils sont canadiens.
2.- .... femme est anglaise et moi je suis américain.
3.- Moi, je suis italienne mais .... mari **est** français.
4.- Vous voulez .... adresse à Paris?
5.- .... appartement est au 52 de l'avenue des Champs-Elysées.
6.- .... fiancée est étudiante en médecine.
7.- .... amie Marie aussi!
8.- Où **sont** .... cigarettes? Ah! dans mon sac!
9.- .... fils **est** architecte. **Il** travaille depuis six ans.
10.- .... enfants **sont** au Mexique.

Entendu en passant

1. **Au restaurant:**

- Garçon! .... steack et .... frites! J'attends depuis une demi-heure!
- J'arrive tout de suite, Monsieur!

- Garçon! alors .... café!
- Tout de suite, Madame!

2. **Au garage:**

- Est-ce que .... est prête?
- Pas encore Monsieur, revenez ce soir.
- Allô! c'est bien la station Shell?
- Oui Monsieur.

- .... camion est en panne, est-ce que vous pouvez venir?

3. **Chez le cordonnier:**

- Bonjour Monsieur! .... sont prêtes?
- Mais oui Madame, les voilà!

4. **Dans la rue:**

- Quelle heure est-il Monsieur, s'il vous plaît?

- J'ai neuf heures moins dix mais .... retarde.

- Oh! je suis en retard! .... n'a pas sonné ce matin!

5. **Dans un magasin :**

- A qui le tour?
- C'est .... tour, je crois.

6. **Dans le métro :**

- Madame, vous voulez .... place?
- Merci beaucoup, vous êtes bien aimable.

7. **Au téléphone :**

- Allô! Monsieur Saule est là?
- Non Madame, ... mari est à la pharmacie jusqu'à vingt heures.
- Allô! est-ce que Madame Fromentin est chez elle?
- Non, ... femme est sortie.

Dans un coin du salon :

- **Ton** studio est grand?
- Oui, et **il** est très clair.
- Donne-moi **ta** nouve**lle** adresse!
- Montre-moi **tes** photo**s** de vacances!
- **Elles sont** chez moi, viens demain!

Il veut tout savoir, ce garçon!

1. - Sophie, donne-moi .... numéro de téléphone!
   - C'est **le** 336.24.91
2. - .... appartement **est** gr**and**?
   - Il y a trois pièces mais elles sont petites.
3. - .... soeur **est** étudiant**e**?
   - Non, elle travaille dans une pharmacie.
4. - .... ami**s** Rivière **sont** revenu**s** de vacances?
   - Non, ils sont encore en Bretagne.
5. - .... cours à l'université **sont** intéressant**s**?
   - Ils n'ont pas encore commencé.
6. - Tu as fait .... inscription**s**?
   - Je dois aller au secrétariat demain.
7. - .... parent**s** **sont** toujours à Deauville?
   - Oui, bien sûr, ils travaillent tout près d'ici.

④ Compliments à un ami

		Possibilités
jardin	ton jardin est superbe!	
parents	....	intelligent,
amie	....	superbe,
voiture	....	joli,
chien	....	charmant,
repas	....	magnifique,
soirée	....	excellent,
fête	....	sympathique,
cravate	....	

A une fenêtre du salon:

- Tu connais Eric Rivière?
- Mais oui, c'est le fils du médecin de Villers-sur-Mer.
- Ah, **son** père est médecin! et **sa** mère aussi?
- Oui, et **ses** frère**s** **sont** étudiant**s** en médecine à Caen!

Et ça continue!

1. - Regarde! Voilà des gens qui arrivent. Ce sont l**es** ami**s** de Sophie?
   - Oui, ce **sont** .... camarades de faculté.
2. - A droite de la fenêtre, c'est **la** femme de Michel?
   - Non, ... femme n'est pas là ce soir, **elle** est à Nice.
3. - Devant la maison, il y a une voiture neuve, c'est **la** voiture de ta mère?
   - Non, je ne pense pas, ... voiture est toujours au garage.
4. - Ta cousine habite toute seule à Paris?
   - Non, elle habite avec .... **amie** Martine.
5. - Qui paie le loyer?
   - .... parent**s**! Elle ne travaille pas encore.
6. - Regarde mon père! Il parle à .... ami**s**.

⑥ Monsieur Saule voit toujours la vie en noir.

Il dit que sa pharmacie est trop petite.

que...

que...

et que...

Monsieur Fromentin, au contraire, voit la vie en rose.

Il dit que ....

que ....

et que ....

7 «Tout va très bien, madame la marquise»

1. - Bonjour Sophie, ... ?
   - Il est à l'hôpital.
2. - .... ?
   - Elle est très fatiguée en ce moment.
3. - .... ?
   - Ils sont tous les deux malades.
4. - .... ?
   - Elle a la grippe.
5. - .... ?
   - Il va mal : sa femme est partie.

8 Comment va la famille de Sophie Saule?

.... est à l'hôpital ; ....

....

....

....

....

9 Et chez vous, comment ça va?

....

....

....

<u>mon</u>	<u>ton</u>	<u>son</u>	père	
<u>ma</u>	<u>ta</u>	<u>sa</u>	voiture	
<u>mes</u>	<u>tes</u>	<u>ses</u>	parents photos	

DOSSIER 6

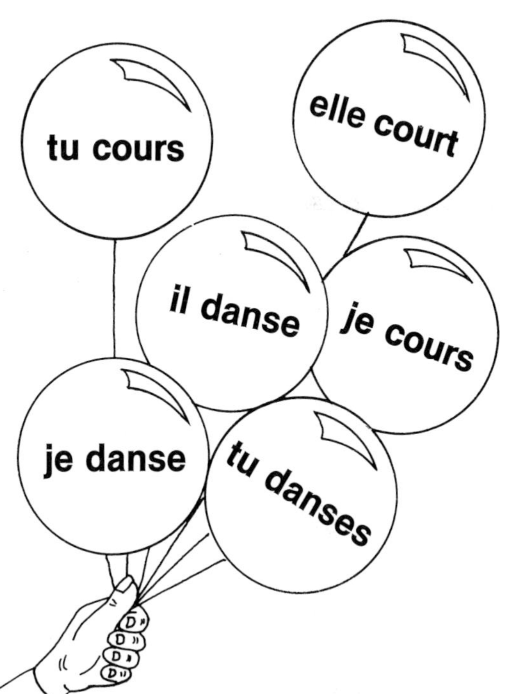

Des goûts et des couleurs

Enquête sur les loisirs des jeunes

- **Qu'est-ce que tu** aimes comme musique, Isabelle?
- **J'aime** le jazz et la musique folklorique.
- **Est-ce que tu** joues d'un instrument?
- Oui, **je** joue de la guitare.

Résultat de l'enquête: «Isabelle, 20 ans, dactylo, aime le jazz et la musique folklorique. **Elle** joue de la guitare.»

Bruno, 19 ans, mécanicien:

1. - Qu'est-ce que **tu** écout..... comme disques?
   - **j'**écout..... surtout de la musique pop.
2. - .... **tu** regard..... comme films à la télé?
   - **je** ne regard..... jamais la télé.
3. - Est-ce que **tu** voyag..... pendant les vacances?
   - Non, **je** rest..... à Deauville avec ma famille.
4. - .... **tu** dans..... souvent?
   - Oui, **je** dans..... tous les samedis soirs.
5. - .... **tu** pratiqu..... comme sport?
   - **Je** pratiqu..... la natation et le volley ball.
6. - .... **tu** aim..... le théâtre?
   - Non, **je** n'aim..... pas ça.

Résultat de l'enquête: «Bruno, 19 ans, mécanicien, écout..... surtout de la musique pop; **il** ne regard..... jamais la télé; **il** ne voyag..... pas pendant les vacances, **il** .... à Deauville; **il** .... tous les samedis soirs; **il** .... la natation et le volley ball; .... n'aim..... pas le théâtre.

(2) Et toi?

1. Qu'est-ce que tu aim..... comme danse?

....

....

le tango
la valse
les danses folkloriques
le rock
la samba...

2. Qu'est-ce que tu regard..... comme films à la télé?

....

....

des films policiers
des films documentaires
des films d'aventures...

3. .... tu écout..... comme musique?

....

....

de la musique classique
de la musique pop
de la musique de variété
de la musique folklorique...

4. Est-ce que tu quitt..... souvent ton pays?

....

....

rarement
tous les ans
parfois, de temps en temps...

5. .... tu aim..... le sport?

....

....

beaucoup
un peu
pas du tout

6. Qu'est-ce que tu pratiqu..... comme sport?

....

....

le football
le tennis
la natation
le volley ball...

Dictionnaire : ...er

quitter → quitt...
pratiquer → pratiqu...
préférer → préfèr...
...

je ...e
tu ...es
il ...e

- **Qu'est-ce que** tu ...?
- Je ...

- **Est-ce que** tu ...?
- Oui / Non, je ...

Caroline, 18 ans, étudiante :

- Caroline, est-ce que **tu** pars en vacances avec tes parents l'été?
- **Je** pars avec mes parents au mois de juillet.
- Qu'est-ce que **tu** fais avec tes parents?
- **Je** fais surtout du tourisme. Je vois beaucoup de villes et de monuments.

Note du journaliste: «Caroline, dix-huit ans part en vacances avec ses parents au mois de juillet. **Elle** fait surtout du tourisme. **Elle** voit beaucoup de villes et de monuments.»

Dis-moi encore :

- Au mois d'août, qu'est-ce que **tu** fai ....?
- **Je** par .... avec des amis au bord de la mer.
- **Tu** fai .... de la natation? **Tu** fai .... du bateau?
- Oui, **je** fai .... beaucoup de sport.
- Et le soir, **tu** sor ....?
- Oui, **je** sor .... : **je** voi .... beaucoup de films, je mange et **je** boi .... beaucoup!
- Mais **tu** ne dor .... pas beaucoup!
- Si, **je** dor .... le matin!

Note du journaliste: «Au mois d'août, **elle** par .... avec des amis au bord de la mer. **Elle** fai .... beaucoup de sport. Le soir, **elle** sor .... : **elle** voi .... beaucoup de films, elle mange et **elle** boi ..... **Elle** dor .... le matin!»

Michel, 19 ans, électricien :

- Et toi, Michel?
- Moi, j'ai seulement quatre semaines de vacances. Les deux premières semaines, je pars à la campagne dans ma famille, et là, **je** vis tranquillement : **je** lis, **je** réfléchis, **j'écris**. Ma mère fait de la bonne cuisine.
- Alors, **tu** grossis?
- Oui, **je** grossis toujours un peu!

Note du journaliste : «Michel, dix-neuf ans, électricien, a seulement quatre semaines de vacances. Les deux premières semaines, il part à la campagne dans sa famille et là, **il** vit tranquillement : **il** lit, **il** écrit, **il** réfléchit. Sa mère fait de la bonne cuisine et **il** grossit toujours un peu.»

Dis-moi encore :

- Où est-ce que **tu** fin..... tes vacances?
- **Je** fin..... mes vacances à l'étranger : je fais toujours un voyage en voiture avec des amis et **je** condu..... beaucoup.
- **Tu** chois..... toujours le même pays?
- Ah non, **je** chois..... chaque année un endroit différent ; de cette façon, **je** réuss..... à connaître beaucoup de pays.

Note du journaliste : «**Il** fin..... ses vacances à l'étranger : il fait toujours un voyage en voiture avec des amis et **il** condu..... beaucoup. **Il** chois..... chaque année un endroit différent ; ainsi, **il** réuss..... à connaître beaucoup de pays.»

Jean-Pierre, 16 ans, lycéen :

- Jean-Pierre, **tu** pren**ds** des vacances aussi?
- Bien sûr, j'ai deux mois et demi de vacances.
  Au lycée, **j'appren****ds** l'anglais : alors l'été, je passe un mois de vacances en Angleterre et **je** pren**ds** des cours.
- **Tu** compren**ds** l'anglais maintenant?
- Oui, **je** compren**ds** presque tout.
- Tu penses vivre en Angleterre?
- Peut-être, mais **j'atten****ds** la fin de mes études.

Note du journaliste : «Jean-Pierre, 16 ans, lycéen, a deux mois et demi de vacances. Au lycée, **il** appren**d** l'anglais : alors, l'été, il passe un mois de vacances en Angleterre et **il** pren**d** des cours. **Il** compren**d** presque tout. Mais **il** atten**d** la fin de ses études pour vivre en Angleterre.»

Arnaud, 17 ans, lycéen :

- Et toi Arnaud, **tu** appren..... aussi une langue?
- Non, mais **j'** appren..... l'équitation.
- Alors **tu** pren..... des leçons de cheval?
- Oui, chaque été, au mois d'août, je fais un stage de trois semaines. Mais c'est très cher! Pour payer mes leçons, je travaille au mois de juillet dans un supermarché : **je** ven..... des valises et des sacs!

Note du journaliste : «Arnaud, 17 ans, lycéen, pren..... des leçons d'équitation chaque été au mois d'août pendant trois semaines. Pour les payer, il travaille au mois de juillet dans un supermarché : **il** ven..... des valises et des sacs.»

Dans une station de ski, au mois de février :

- Antoine, **tu** v**iens** souvent ici pour les vacances de février?
- Oui, **je** rev**iens** tous les ans depuis 4 ans.
- Mais alors, **tu** dev**iens** champion!
- Non! Pas encore! Mais chaque année **j'**obt**iens** un nouvel insigne.

Note du journaliste : «Antoine, 15 ans, v**ient** dans cette station tous les ans depuis 4 ans. Chaque année **il** obt**ient** un nouvel insigne.»

Sylvie, 13 ans, lycéenne :

- Et toi, Sylvie, **tu** v............ ici depuis longtemps?
- Non, c'est la première fois que **je** v .... et je crois que c'est aussi la dernière!
- Pourquoi?
- .... ne **tiens** pas sur mes skis, je tombe cent fois par jour, j'ai froid et le soir, ... rev............ très fatiguée à l'hôtel.

Note du journaliste : «Sylvie, 13 ans, v............ dans cette station pour la première fois. Elle dit aussi que c'est la dernière fois qu'elle v............ : **elle** ne t............ pas sur ses skis, elle tombe cent fois par jour, elle a froid et le soir, **elle** rev............ très fatiguée à l'hôtel.»

Dictionnaire :		
...**ir**	je	...**s**
...**re**	tu	...**s**
...**dre**	il	...**t** ou **d**
...**oir**		

Attention!

1		
part**ir**		
sort**ir**		
sent**ir**		
cour**ir**	**je**	...**s**
dorm**ir**		
mettre	**tu**	...**s**
faire		
voir	**il**	...**t**
boire		
croire		
...		

2		
viv**re**		
...		
écr**ire**		
l**ire**		
condu**ire**	**je**	...**is**
d**ire**		
...	**tu**	...**is**
réfléch**ir**		
gross**ir**	**il**	...**it**
chois**ir**		
réuss**ir**		
maigr**ir**		
...		

3 prendre apprendre comprendre ... attendre descendre vendre répondre ...	je ...ds tu ...ds il ...d

4 venir revenir devenir ... tenir obtenir ...	je ...iens tu ...iens il ...ient

5 recevoir → **je reçois**
devoir → **je dois**

6 ouvrir	je	...e
offrir	tu	...es
souffrir	il	...e

(7) Questionnaire sur les vacances

- Combien de temps de vacances as-tu?
- ....
- Restes-tu chez toi ou pars-tu?
- Je ....
- Fais-tu du sport pendant tes vacances? Quel sport fais-tu?
- ...., je ....
- Sors-tu le soir?
- ...., je .... Je vais ....
- Lis-tu? Qu'est-ce que tu lis?
- ...., je ....
- Ecris-tu à tes amis et à ta famille?
- ...., je ....

Comment poser une question:

	**	****
	Qu'est-ce que tu fais aujourd'hui? =	**Que fais-tu** aujourd'hui?
*	**	****
Tu aimes le sport? =	**Est-ce que** tu aimes le sport? =	**Aimes-tu** le sport?

② La première journée de vacances de Francis

1. Francis part en vacances. 2. Il .... à la gare Montparnasse. 3. ....

DOSSIER 7

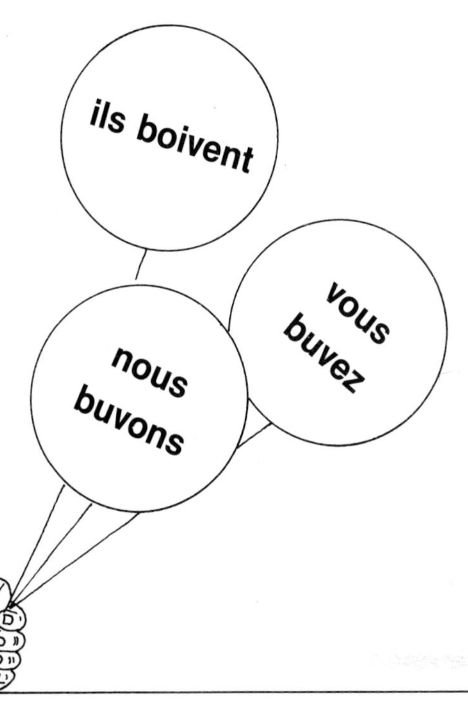

Les Parisiens

Sondage sur le mode de vie des Parisiens

- Est-ce que **vous** pren**ez** le petit déjeuner ensemble?
- La plupart du temps, **nous** déjeun**ons** ensemble.

- Est-ce que **vous** rentr**ez** tous à midi?
- Ah non, à midi, **les enfants** déjeun**ent** à la cantine de l'école. Ma femme et moi, **nous** déjeun**ons** au restaurant.

- Et le soir? **Les enfants** dîn**ent** à la cantine aussi?
- Non, **ils** dîn**ent** à la maison! **Nous** pass**ons** la soirée ensemble.

J'ai encore quelques questions à poser :

1. - Qu'est-ce que **vous** pren**ez** au petit déjeuner?
   - Généralement, **nous** pren....... du café au lait et des tartines.

2. - Au restaurant, ... buv**ez** du vin?
   - Oui, **nous** buv....... du vin mais **les enfants** prenn....... de l'eau ou du lait.

3. - Est-ce que .... regard**ez** la télévision?
   - **Nous** n'aim....... pas la télévision.

4. - Est-ce que **vous** lis....... le journal régulièrement?
   - .... achet**ons** le journal tous les jours.

5. - Qu'est-ce que .... pratiqu**ez** comme sport?
   - Ma femme et moi, **nous** jou....... au tennis, **les enfants** préfèr....... la natation, et **ils** jou....... au football à l'école.

6. - Est-ce que .... lis**ez** beaucoup?
   - **Nous** lis....... des romans historiques et des magazines, **les enfants** lis....... surtout des bandes dessinées.

7. - .... travaill**ez** toute la journée?
   - **Nous** travaill....... 8 heures par jour, comme tout le monde!

8. - **Vous** connaiss....... les habitants de l'immeuble?
   - **Les enfants** connaiss....... tout le monde mais .... ne connaiss**ons** personne.

9. - **Vous** pren....... vos vacances en juillet ou en août?
   - **Les enfants** part....... en juillet .... pass**ent** deux mois à la campagne ; ma femme et moi, **nous** part....... en août.

② Extrait d'un article sur la vie des Parisiens

«Les Parisiens viv....... vite! Ils cour....... toute la journée; .... pratiquent peu les sports, mais ils regard....... les matchs à la télévision; ils sort....... tous les samedis soirs; .... travaillent 8 heures par jour; ils prenn....... un mois de vacances en août; ils connaiss....... et aim....... bien les vins et les fromages; ..... lisent beaucoup mais ils écriv....... peu; .... discutent surtout de politique et de sport; ils critiqu....... tout le monde et .... conduisent très vite.»

(Dictionnaire: **vivre, courir, pratiquer, regarder, sortir, travailler, prendre, connaître, aimer, lire, écrire, discuter, critiquer, conduire**).

③ Quel est le mode de vie dans votre pays?

« ....

....

....

.... »

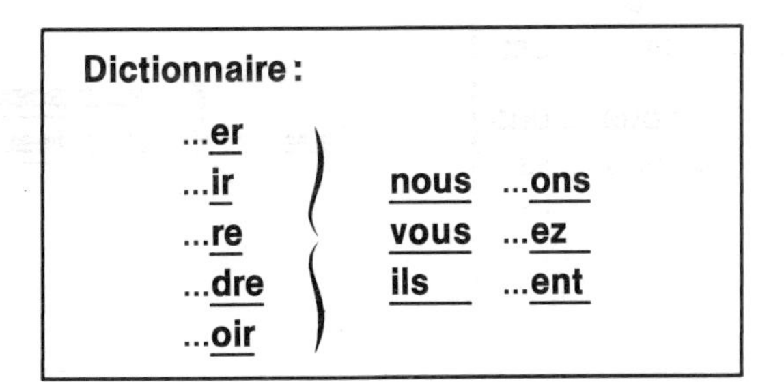

Dictionnaire:

...**er**
...**ir**
...**re**
...**dre**
...**oir**

nous ...**ons**
vous ...**ez**
ils ...**ent**

Attention!

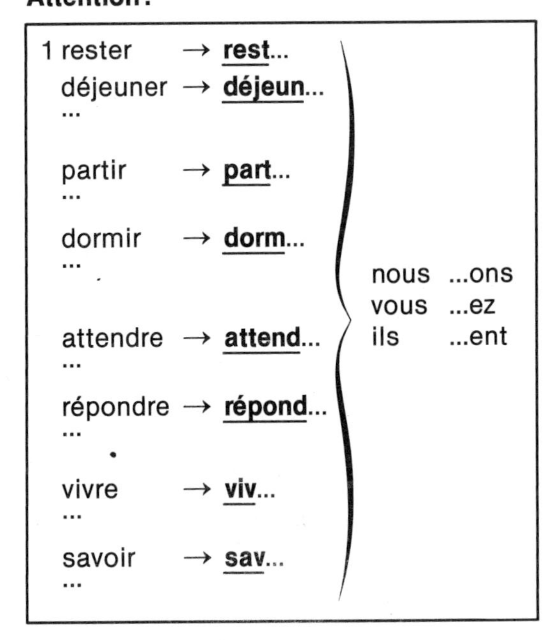

1 rester → **rest**...
déjeuner → **déjeun**...
...
partir → **part**...
...
dormir → **dorm**...
...
attendre → **attend**...
...
répondre → **répond**...
...
vivre → **viv**...
...
savoir → **sav**...
...

nous ...ons
vous ...ez
ils ...ent

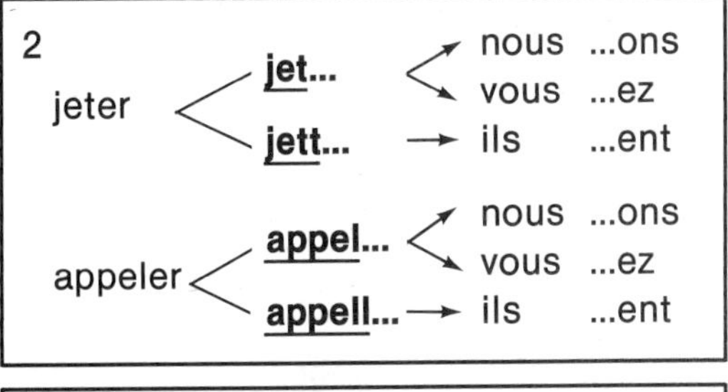

2
jeter → **jet**... → nous ...ons / vous ...ez
jeter → **jett**... → ils ...ent

appeler → **appel**... → nous ...ons / vous ...ez
appeler → **appell**... → ils ...ent

3 lire → **lis**...
plaire → **plais**...
écrire → **écriv**...

nous ...ons
vous ...ez
ils ...ent

4 choisir → **choisiss**...
finir → **finiss**...
connaître → **connaiss**...

nous ...ons
vous ...ez
ils ...ent

5 peindre → **peign...**	nous ...ons
craindre → **craign...**	vous ...ez
joindre → **joign...**	ils ...ent

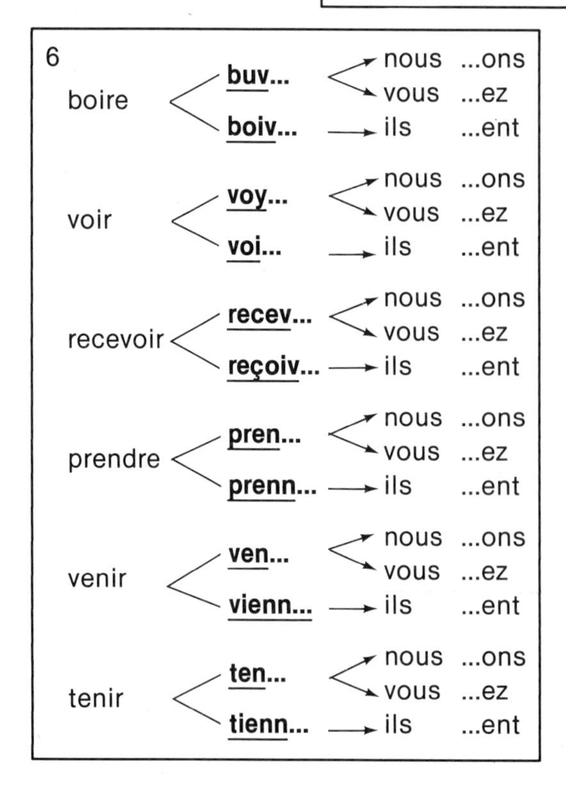

6			
boire	**buv...**	nous	...ons
		vous	...ez
	boiv...	ils	...ent
voir	**voy...**	nous	...ons
		vous	...ez
	voi...	ils	...ent
recevoir	**recev...**	nous	...ons
		vous	...ez
	reçoiv...	ils	...ent
prendre	**pren...**	nous	...ons
		vous	...ez
	prenn...	ils	...ent
venir	**ven...**	nous	...ons
		vous	...ez
	vienn...	ils	...ent
tenir	**ten...**	nous	...ons
		vous	...ez
	tienn...	ils	...ent

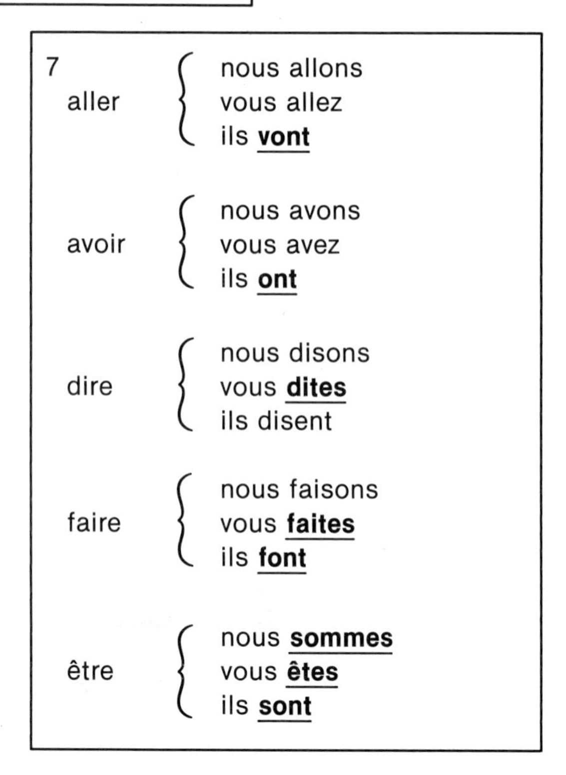

7	
aller	nous allons vous allez ils **vont**
avoir	nous avons vous avez ils **ont**
dire	nous disons vous **dites** ils disent
faire	nous faisons vous **faites** ils **font**
être	nous **sommes** vous **êtes** ils **sont**

4 Madame Moisan écrit à ses parents :

1. (Dictionnaire : **aller, devenir, faire, être, recevoir, espérer, être**)
   «Comment .... vous? Que .... vous? Que .... vous? Nous .... inquiets parce que nous ne .... plus de nouvelles depuis longtemps, mais nous .... que vous .... toujours en bonne santé.»

2. (Dictionnaire : **dire, écrire, savoir, penser, attendre**)
   «Vous .... que nous n' .... pas souvent mais vous .... bien que nous .... beaucoup à vous : nous .... les vacances d'été pour aller vous voir à Toulouse.»

3. (Dictionnaire : **avoir, aller, connaître, avoir, voir, prendre, faire, être**)
   «En ce moment nous .... de la chance parce que tous les dimanches, nous .... à la campagne chez Jacques Saule. Vous .... les Saule, n'est-ce pas? Ils .... une maison de campagne à Dourdan. Vous

.... où est Dourdan? C'est au sud de Paris. Nous ....l'autoroute A6, c'est plus rapide. Nous .... le marché à Dourdan : les fruits et les légumes .... bon marché à la campagne.»

4. (Dictionnaire : **connaître, recevoir, connaître, faire, venir, apprendre, choisir, aller, descendre**)

«Jacques et sa femme .... beaucoup de monde et ils .... souvent des voisins le dimanche après-midi. Maintenant, nous .... bien la campagne parce que nous .... toujours une promenade à pied l'après-midi. Les enfants .... avec nous et ils .... le nom des plantes et des arbres. Nous .... toujours une promenade différente. Parfois nous .... dans la forêt, parfois nous .... à la rivière.»

5. (Dictionnaire : **revenir, faire, prendre, boire, lire, écrire, faire, aller et venir, finir**)

«Quand nous .... de promenade, nous .... du feu dans la cheminée. Nous .... le thé à 5 h. Les enfants .... du chocolat chaud. Ensuite, nous .... ou nous .... Les enfants .... de la guitare ou bien ils .... dans le jardin. Nous .... la soirée devant la télévision.

(5) Dites-moi :

1. Que font les Moisan le dimanche?

....

2. Comment vont-ils à Dourdan?

....

3. Où font-ils le marché?

....

4. Que font-ils l'après-midi?

....

5. Ils font toujours la même promenade?

....

6. Que font-ils à 5h?

....

7. Que font-ils ensuite?

....

6 C'est vrai?

Au printemps, les Parisiens **entreprennent** la décoration des balcons où ils **réussissent** à cultiver de véritables jardins. En mai, des fleurs bleues, jaunes, rouges **fleurissent** partout et des plantes vertes **apparaissent** à tous les étages. Oui, les Parisiens **entretiennent** bien les balcons, mais malheureusement ils ne **font** pas attention aux rues de Paris : ils **conduisent** trop vite, ils **salissent** les trottoirs, ils **jettent** des papiers par terre, ils **mettent** des poubelles partout, ils ne **tiennent** pas les chiens en laisse et ils **écrivent** ou **peignent** des slogans sur les murs de la ville. C'est pourquoi, les touristes se **plaignent** de la saleté des rues de Paris.

La machine à écrire n'a pas bien fonctionné!

mettre
- nous ....ons
- vous ....ez
- ils ....ent

jeter
- nous ....ons
- vous ....ez
- ils ....ent

conduire
- nous ....
- vous ....
- ils ....

écrire
- nous ....
- vous ....
- ils ....

réussir
- nous ....
- vous ....
- ils ....

fleurir
- nous ....
- vous ....
- ils ....

salir
- nous ....
- vous ....
- ils ....

entreprendre
- nous ....
- vous ....
- ils ....

tenir
- nous ....
- vous ....
- ils ....

entretenir
- nous ....
- vous ....
- ils ....

peindre
- nous ....
- vous ....
- ils ....

se plaindre
- nous nous ....
- vous vous ....
- ils se ....

DOSSIER 8

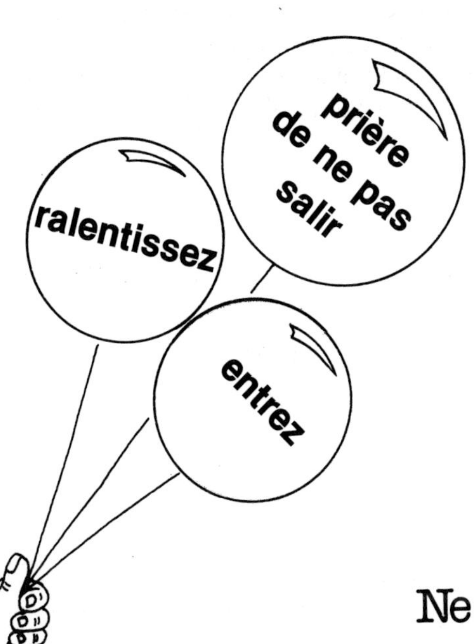

Ne tombez pas dans le panneau!

Les paquets et les boîtes parlent!

Dépêch**e-toi** ! Regard**e** bien au fond de ton paquet de biscuits : il y a une image Chocodoux.
Répon**ds** aux questions du Grand jeu «Fromagette» et **va** vite à la poste.
Mais n'oubli**e** pas! Ecri**s** ton nom et ton adresse sur la carte-réponse. **Sois** rapide!
«Fromagette» attend!

1 «Salut les jeunes» : journal des 12-15 ans

(Dictionnaire : **regarder, trouver, lire, faire, vivre, écouter, sortir, se rappeler**).

1. - .... bien les deux dessins : .... les huit erreurs du deuxième.
2. - .... la nouvelle bande dessinée «Christophe Lerouge, voyageur du cosmos».
3. - Le chanteur Frank Siriot est toujours en forme! Son secret : il court tous les matins pendant une heure. .... comme lui!
4. - .... avec ton temps : .... Radio Jeune.
5. - Ne .... pas sans ton badge«Salut les jeunes»!
6. - ....! Pierre Basson chantera à l'Olympia au mois d'octobre.

2 Donne des conseils à un ami :

(films, disques, livres, voyages, boissons, vêtements).

- ....
- ....
- ....
- ....
- ....
- ....

Dictionnaire : ...**er** → tu chantes → chant**e**! aller → tu vas → v**a**!	...**ir** ...**re** / ...**dre** ...**oir** { tu dis → di**s**! tu prends → pren**ds**!
se réveiller → tu te réveilles → réveille-**toi**	
Attention : être → tu es → **sois**! avoir → tu as → **aie !**	

POUR RÉUSSIR

RESTEZ JEUNE !

ACCROCHEZ-VOUS !

RESPIREZ LA SANTÉ !

GARDEZ LA FORME !

soyez sportif !

AYEZ LE SOURIRE !

FAITES

Faites
des cadeaux.
Faites
des économies.

Un coffret de 3 savonnettes
Prix : 19,50 F au lieu de 21,60 F

Prix : 29,50 F
au lieu de 36 F

faites des économies !

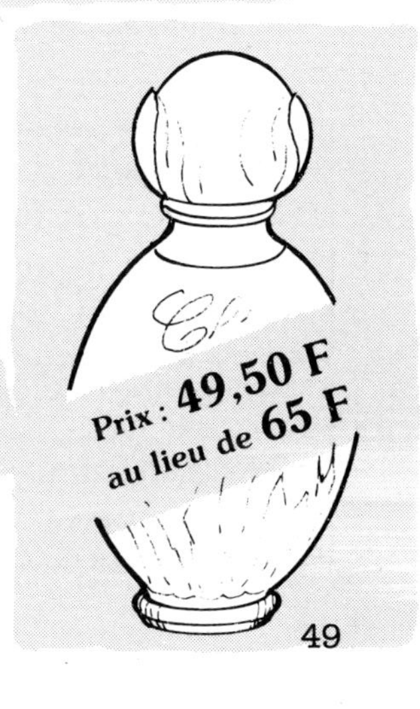

Prix : 49,50 F
au lieu de 65 F

Slogans

- **Faites** des économies : achet**ez** les produits Maxi-jeune !
- Rest**ez** jeune ! Buv**ez** Evian !
- Respir**ez** l'air pur de la montagne ! Agence touristique Alpes-Pyrénées.
- Gard**ez** la forme : mang**ez** les oranges Jaffa !
- All**ez** plus vite ! Pren**ez** le train !
- Réveill**ez-vous** en musique avec Radio-Europe !

3 Publicités

(Dictionnaire : **choisir, venir, se dépêcher, partir, conduire, mettre, boire, faire, s'informer, lire**).

1. .... la mer : louez les voiliers Tabarly !
2. .... au Salon de l'Auto .... ! Il ne reste plus que deux jours !
3. .... au pays du soleil : la Turquie !
4. .... en musique : achetez votre auto-radio Philips !
5. .... du soleil sur votre table : les vins de Provence !
6. .... du cidre breton !
7. .... du sport : achetez la raquette de tennis Dunlop !
8. .... bien ! .... le Journal de Paris !

4 Concours : « le meilleur slogan »

pour les jeans Lewis : « .... »

pour Coca-Cola : « .... »

pour le dentifrice Colgate : « .... »

pour les voitures Renault : « .... »

pour l'appareil photo Pentax : « .... »

Dictionnaire :

...**er** ...**ir** ...**re** ...**dre** ...**oir**	vous partez → part**ez** ! vous prenez → pren**ez** ! vous voyez → voy**ez** !	vous faites → **faites** ! vous dites → **dites** !

se réveiller → vous vous réveillez → réveillez-**vous** !

Attention : être → vous êtes → **soyez** !
avoir → vous avez → **ayez** !

Les murs aussi parlent :

- **Visiteurs**, ten**ez vos** chiens attachés.
- Ten**ir** la main courante.
- **Automobilistes**, ralent**issez** : sortie d'enfants.
- Ralent**ir** école.
- **Piétons, ne** travers**ez pas** les voies.
- **Ne pas** travers**er** la voie.
- **Prière de** laiss**er** cet endroit propre.

Attention, n'oubliez pas!

1. .... deux comprimés par jour dans un verre d'eau.
2. **Ne pas** dépass..... la dose prescrite.
3. **Visiteurs**, respect..... le repos des malades.
4. Conserv..... ce produit au frais.
5. Pour ouvrir, attend..... l'arrêt complet de la voiture.
6. **Ne pas** descend..... avant l'arrêt complet de la voiture.
7. Vérifi..... **votre** monnaie avant de quitter la caisse.
8. Habitants de l'immeuble, ne descend..... pas **vos** poubelles avant 18 heures.
9. Les spectacles et quêtes sont interdits dans les voitures ; pour **votre** tranquillité, ne les encourag..... pas.
10. **Prière de** ferm..... la porte.

Attention, c'est interdit!

- **Promeneurs, ne** cueill**ez pas** les fleurs de ce parc.
- **Il est interdit de** cueill**ir** les fleurs.
- **Ne** franch**issez pas** la barrière sans autorisation.
- **Défense de** franch**ir** la barrière.
- **Prière de ne pas** touch**er** aux fruits.

Et que disent les écriteaux?

1. **Défense de** fum.....
2. Ne jet..... pas **vos** papiers ici.
3. **Ne** .... **rien** aux animaux.
4. **Il est interdit de** nourr..... les animaux.
5. **Défense d'**affich.....
6. Ne laiss..... pas **vos** enfants jouer au bord de l'eau.
7. **Défense de** .... au conducteur.
8. **Il est interdit d'**interd.....
9. **Prière de** .... sur les pelouses.
10. **Prière de** ne pas .... les clefs des chambres.

⑦ Code de la route

....

....

....

....

....

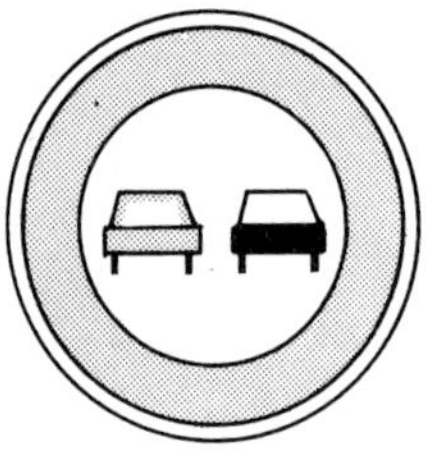

....

8 Pancartes

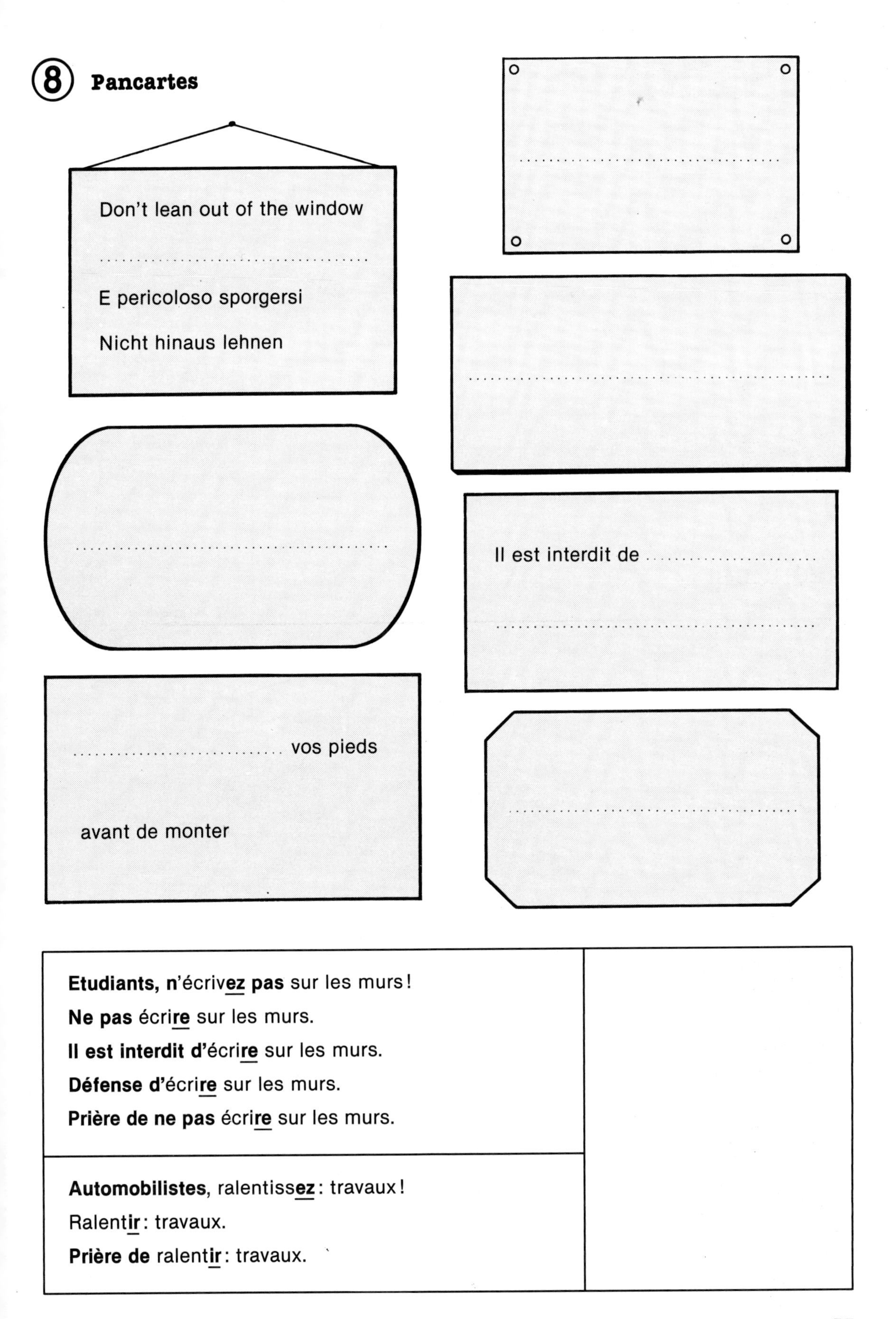

Etudiants, n'écriv**ez pas** sur les murs!

Ne pas écrire sur les murs.

Il est interdit d'écrire sur les murs.

Défense d'écrire sur les murs.

Prière de ne pas écrire sur les murs.

Automobilistes, ralentiss**ez** : travaux!

Ralentir : travaux.

Prière de ralentir : travaux.

DOSSIER 9

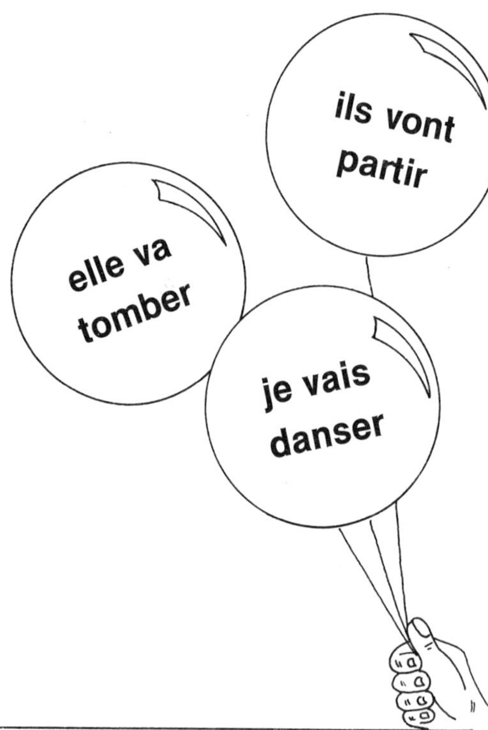

Agendas

Deauville, le 16 avril 19.....

Cher Pierre,

Dimanche 22, nous **allons faire** une petite fête pour Sophie : elle **va avoir** 21 ans ce jour-là ! Nos parents **vont** lui **offrir** une moto ; elle **va** l'**avoir** la semaine prochaine. Moi, je **vais** lui **offrir** deux casques : tu **vas voir**, toi et moi, on l'utilisera plus souvent qu'elle, cette moto.

Je sais que vous **allez déménager** cette semaine mais essaie de venir quand même ! Et apporte des disques : **on** ne **va** pas s'**ennuyer** je te promets !

Jacques

Réponse de Pierre

1. Oui, nous .... déménag**er** samedi prochain donc je ne .... pas ven**ir** à la fête de Sophie.
2. Mais je .... av**oir** enfin une chambre pour moi tout seul : c'est une consolation !
3. Vous .... v**oir** comme elle est belle, cette chambre !
4. Mais d'abord, je .... la repeind**re** tout en blanc.
5. D'ailleurs, on .... refai..... toutes les peintures avant le déménagement.
6. Mon père ne .... pas prend..... de déménageur : ça coûte trop cher.
7. Il .... lou**er** un camion et .... **vais** l'aid.....
8. Mes deux oncles .... ven**ir** aussi.
9. Ma mère .... rempl**ir** les cartons mais elle .... **va** .... les port........ parce qu'elle a mal au dos.
10. On .... **avoir** beaucoup de travail pendant toute la semaine.
11. J'espère que .... **allez** ven..... nous voir après le déménagement.
12. Mes parents .... m'offr..... une nouvelle chaîne stéréo, ça va moins vite qu'une moto mais ça fait autant de bruit !

 **Quelle semaine chargée pour les Rivière !**

LUNDI 16 AVRIL
1. Repeindre la cuisine 2. Tapisser la salle de séjour 3. Frotter les parquets
MARDI 17 AVRIL
1. Remplir les cartons 2. Nettoyer la nouvelle maison 3. Faire les vitres
MERCREDI 18 AVRIL
1. Vérifier l'installation électrique 2. Louer le camion
JEUDI 19 AVRIL
1. Installer les rideaux 2. Transporter les cartons avec Pierre
VENDREDI 20 AVRIL
1. Nettoyage de l'ancien appartement 2. Changement d'adresse à la poste 3. Peinture de la chambre de Pierre
SAMEDI 21 AVRIL
1. Transport des meubles 2. Fin de l'installation 3. Fête

Lundi, ils ....
....
....
....

Mardi, Madame Rivière ....
....
....
....

Mercredi, Monsieur Rivière ....
....
....
....

Jeudi, ...
....
....
....

Vendredi, ils ....
....
....
....

Samedi, ...
....
....
....

③ Agenda de Monsieur Saule

LUNDI 16 AVRIL
Dîner chez les Raoul 20 heures Apporter dessert
MARDI 17 AVRIL
R.D.V. dentiste 18 heures
MERCREDI 18 AVRIL
Tennis de 13 heures à 14 heures avec Raoul
JEUDI 19 AVRIL
Concert Menuhin salle Pleyel, 20h 30 2 places
VENDREDI 20 AVRIL
Garagiste : achat moto Sophie
SAMEDI 21 AVRIL
Congrès des pharmaciens : Rouen
DIMANCHE 22 AVRIL
Fête : anniversaire Sophie

Que vont faire les Saule cette semaine? ....

....

....

....

....

....

....

....

....

....

....

....

....

....

....

....

....

....

....

....

....

....

....

....

....

....

....

....

4 Dans votre agenda : vos projets

JEUDI
....
....
....
....

VENDREDI
....
....
....
....

SAMEDI
....
....
....
....

DIMANCHE
....
....
....
....

et votre voisin(e), que va-t-il (elle) faire ces jours-là ?

Jeudi, ...
....
....
....

Vendredi, ...
....
....
....

Samedi, ...
....
....
....

Dimanche, ...
....
....
....

Maintenant,	nous déménageons ils déménagent on déménage		
Demain, Bientôt, La semaine prochaine,	je **vais** tu **vas** il **va** on **va** nous **allons** vous **allez** ils **vont**	déménag**er**	

** **on** déménag**e** = **** **nous** déménageons

DOSSIER 10

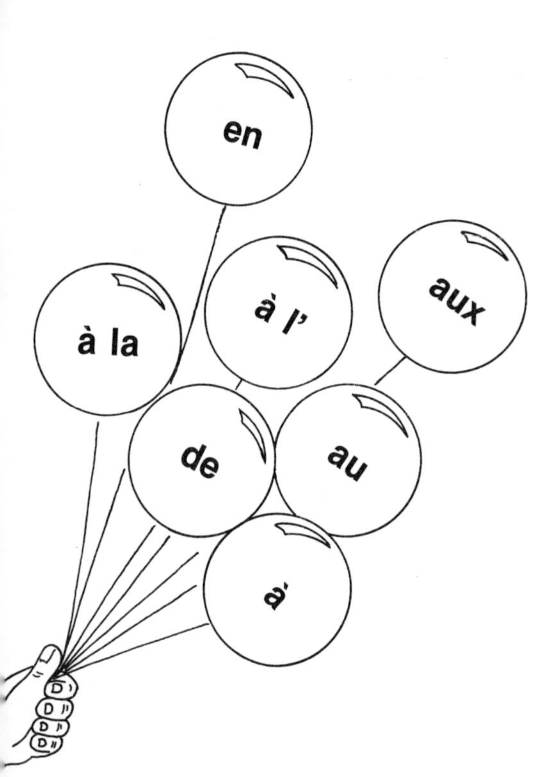

Le « globe trotter »

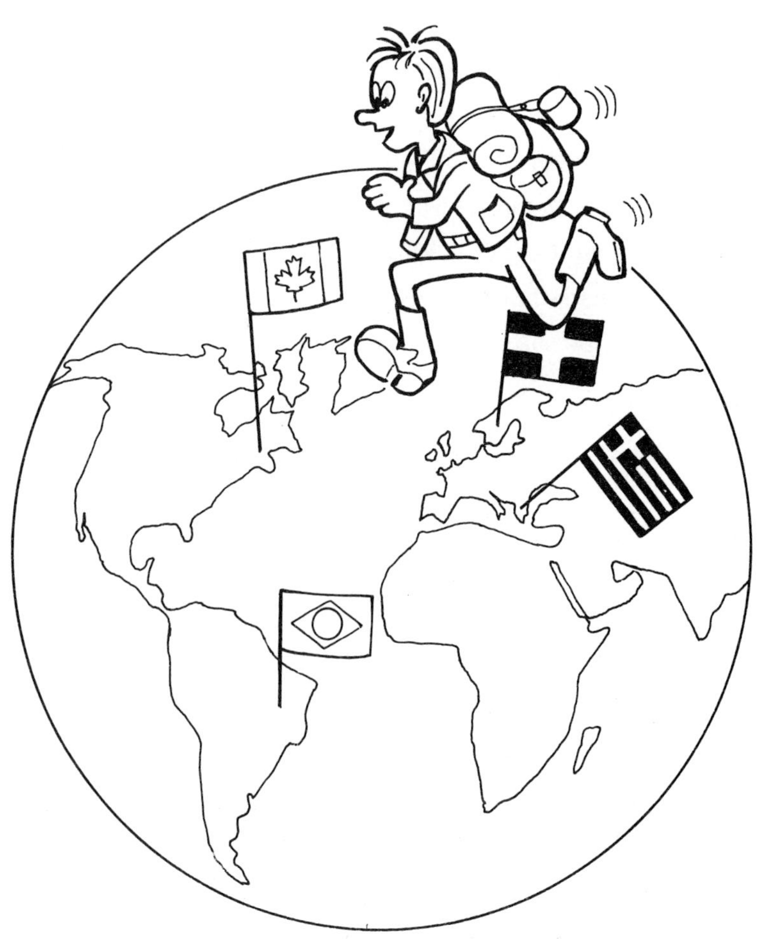

A la gare

- Départ **de** Paris : 15h 22
- Arrivée **à** Nice : 23h 52
- Attention : le train en provenance **de** Berlin arrivera **à** Strasbourg avec 30 minutes de retard.
- A partir du 2 mars, changement d'horaires : renseignez-vous **au** bureau « Informations », situé **à l'e**ntrée du hall de départ.
- Mettez vos bagages **à la** consigne, située derrière le bureau « Informations ».
- Accès **aux** quais ; empruntez le passage souterrain.

Mais qu'est-ce qu'il dit, ce haut-parleur?

1. Ne jetez pas votre billet, il peut vous être demandé .... sortie.
2. Pour tout remboursement, adressez-vous .... bureau des réclamations.
3. Prenez vos billets .... distributeurs automatiques.
4. En cas de non fonctionnement de la machine, adressez-vous .... guichets.
5. .... wagon-restaurant, situé .... arrière du train, nous vous proposons un service de qualité à partir de 11h30.
6. Messieurs les voyageurs sont informés que le train arrivera .... Lyon avec 15 mn de retard.
7. Prière de rentrer les bagages .... intérieur des compartiments.
8. On annonce un retard de 25 mn pour le train venant .... Madrid.
9. Monsieur Saule, voyageant .... Paris à Marseille, est prié de se présenter .... contrôle situé dans la voiture 52.
10. On demande le technicien .... voiture-bar.

Au bureau des renseignements Air-France

- Quels sont les vols pour **le** Brésil, s'il vous plaît?
- Pour aller **au** Brésil, il y a seulement le vol «Paris-Rio».

- Pour **la** Bulgarie, est-ce qu'il y a des escales?
- Oui, Madame. Pour aller **en** Bulgarie vous passez par Belgrade **en** Yougoslavie.

- Pouvez-vous me donner les horaires de vol pour **l'I**rlande et **l'A**ustralie? Je vais d'abord **en** **I**rlande, puis de là **en** **A**ustralie.
- Un moment, Monsieur, s'il vous plaît.

- Pour Chypre, quels sont les horaires des vols, s'il vous plaît?
- Pour aller **à** Chypre, le départ est à 16h 40.

- Combien de temps dure le vol pour **les** Baléares?
- Vous partez à 10h et vous êtes à 13h **aux** Baléares.

A l'aéroport de Roissy

1. Les passagers pour **la** Turquie sont priés de se rendre à la porte 42.
   - Ah, vous allez .... Turquie !
   - Oui, et vous?
   - Non, moi je vais .... **I**nde.
2. - Où allez-vous Mademoiselle?
   - Je vais .... Scandinavie, d'abord .... Suède, puis .... Norvège et ensuite .... Danemark. Vous connaissez **la** Scandinavie?
   - Je connais **la** Finlande et **la** Norvège, mais je ne connais ni **la** Suède ni **le** Danemark.
3. - Vous allez souvent .... Japon?
   - Oui, très souvent. Ma firme travaille avec **le** Japon.
4. - Où faites-vous escale pour Cuba?
   - A Dakar. Je connais bien le vol, c'est la troisième fois que je vais .... Cuba!
5. - Vous partez en vacances?
   - Oui, nous allons .... Antille**s**. L'année prochaine nous irons .... Etats-Uni**s**.
6. - Le vol pour Sri-Lanka est annoncé.
   - Vous allez .... Sri-Lanka, n'est-ce pas?
   - Oui, je prends cet avion.
7. C'est la première fois que vous allez .... Maroc?
   - Oui, je connais **la** Tunisie mais pas **le** Maroc.
8. - Combien vous payez pour aller .... Philippines?
   - Le vol pour **les** Philippines coûte 10 320F aller-retour.
9. - Vous partez loin?
   - Oui, je vais ..... Amérique latin**e**. Je vais visiter **le** Brésil, **l'**Equateur, **la** Colombie. Je pense rester trois semaines .... Brésil, trois jours .... Equateur et cinq jours .... Colombie.

③ Visitez Toulouse!

Centre ville	Allez d'abord ....
Office de Tourisme	Demandez des renseignements ....
Place du Capitole	puis allez ....
Basilique Saint-Sernin	Ensuite ....
Musée Saint-Raymond	Et ....
Cathédrale Saint-Etienne	N'oubliez pas d'aller ....
Poste	Allez ....
Banque Populaire	et .... avant 18 heures
Centre Commercial	puis faites vos courses ....
Restaurant de la Garonne	Le soir, vous pouvez dîner ....
Hôtel de la Basilique	et coucher ....

④ Dans quel pays aimeriez-vous aller ?

....

....

....

....

....

Voilà	Deauville **le** restaurant universitaire **la** Banque de France **l'**aéroport Charles De Gaulle **les** Invalides	Je vais Je suis	**à** Deauville **au** restaurant **à la** banque **à l'** aéroport **aux** Invalides	
J'aime	Cuba **le** Nigéria **la** Belgique **l'**Iran **les** Canaries	Je vais J'habite	**à** Cuba **au** Nigéria **en** Belgique **en** Iran **aux** Canaries	

DOSSIER 11

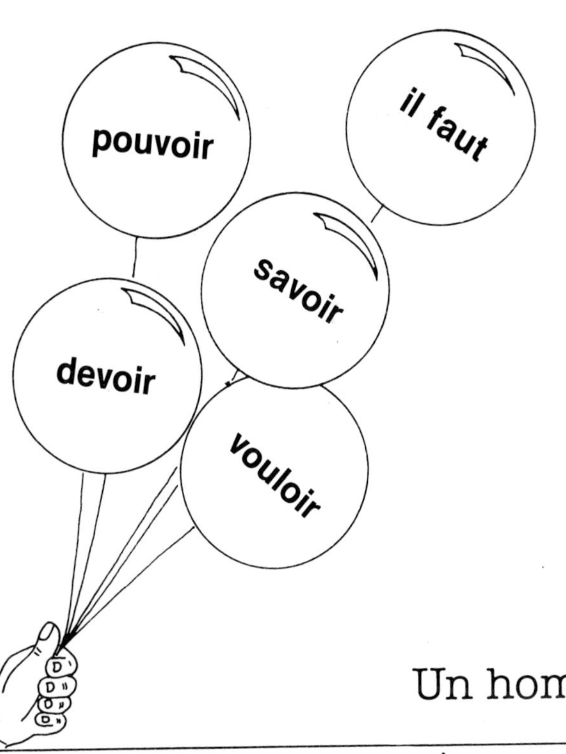

Un homme averti en vaut deux!

Renseignements administratifs : « C'est indispensable » !

- Je **veux** partir aux Etats-Unis.
- En ce cas, vous **devez** demander un visa.
- Pour la Bulgarie aussi il **faut** un visa?
- Evidemment.
- Mon ami argentin **veut** rester à Paris.
- Alors, il **doit** demander une carte de séjour.

- Je **veux** voyager à l'étranger.
- C'est une excellente idée! Mais tu **dois** renouveler ton passeport!

- Nous **voulons** expédier ce paquet recommandé.
- Vous **devez** remplir cet imprimé.

- Mes amis étrangers **veulent** travailler en France.
- Bien, mais ils **doivent** obtenir une carte de travail.
- Il **faut** attendre longtemps pour obtenir une carte de travail?
- Ah oui, ce n'est pas facile!

Comment faire?

1. - Je .... téléphoner.
   - Pour téléphoner, il .... une télécarte P.T.T.
2. - Ils .... se marier.
   - Alors, ils .... passer une visite médicale.
3. - Elle .... voter.
   - Mais a-t-elle 18 ans? Il .... **être** majeur pour voter.
4. - Nous .... louer un appartement à Paris.
   - Alors, vous .... lire les petites annonces du Figaro.
5. - Sophie Saule .... ouvr....... un compte en banque.
   - Alors, elle .... apport....... une pièce d'identité.
6. - Je .... faire des études de médecine à Paris.
   - Alors, vous .... parl....... et écri....... le français.
7. - Vous .... part....... aux Etats-Unis?
   - Oui, mais avant, nous .... demand....... un visa.
8. - Vous .... baisser le volume de la radio à 10h!
   - Pourquoi?
   - Mais parce qu'il ne .... pas .... de bruit après 10h. C'est interdit!
9. - Mes pneus sont lisses.
   - C'est dangereux, tu .... les chang.......
10. - Je n'ai pas encore de papiers.
   - Alors, il .... faire attention : il y a des contrôles de Police dans le métro.

Voilà ce qu'il faut faire:

- Je ne **sais** pas conduire.
- Alors tu **dois** prendre des leçons de conduite.

- Nous ne **savons** pas parler le français.
- Pour apprendre, **il faut** suivre quelques cours.

- Tu **sais** conduire?
- Non.
- Alors, tu **dois** apprendre! C'est facile.

- Ils ne **savent** plus **quel est son numéro de téléphone.**
- Alors, ils **doivent** consulter un annuaire!

- Vous **savez où est le consulat brésilien?**
- Ah non, je ne **sais** pas. Mais demandez à cet agent de police il le **sait** certainement.

2 On peut toujours demander!

1. - Il ne .... pas rempl....... cet imprimé! Je vais l'aider.
2. - Moi, je .... **comment obtenir une carte de séjour**.
3. - Vous .... **où il faut descendre** pour aller à la Préfecture de Police?
   - Oui, vous .... descend....... à la station Cité.
4. - Attention! Il est 10h du soir: vous .... baiss....... le volume de votre radio.
5. - Ils ne .... pas **où trouver un appartement**.
   - A mon avis, ils .... achet....... le Journal des Particuliers.
6. - Est-ce que je .... m'inscri....... à la Sécurité Sociale?
   - Evidemment! C'est indispensable.
7. - Nous ne .... pas **comment prendre le métro**.
   - C'est simple! Il .... prend....... un ticket et consult....... le plan.
8. - Tu .... **où sont les Invalides**?
   - Bien sûr! Tu .... prend....... l'autobus 63 ou le métro.
9. - Je ne .... pas **comment obtenir une carte de séjour**.
   - Tu .... all....... à la Préfecture de Police avec ton passeport, deux photos et un relevé de compte en banque.
10. - Ils ne .... pas **comment s'inscrire à l'université**.
    - Ils .... s'adress....... aux Renseignements, au rez-de-chaussée.

«Impossible n'est pas français»

- Je **peux** téléphon**er**?
- Je t'en prie! Fais comme chez toi!

- Pourquoi quittent-ils la France?
- Ils ne **peuvent** pas obten**ir** de carte de séjour.

- Tu **peux** me di**re** où est l'université?
- Là-bas à droite, à côté de ce grand immeuble blanc.

- Vous ne **pouvez** pas rest**er** là. Le stationnement est interdit.

- Il **peut** s'inscri**re** à l'université?
- Oui, s'il a le baccalauréat.

- Nous ne **pouvons** pas part**ir** aux Etats-Unis : nous n'avons pas de visa.

Alors, tout est possible?

1. - Vous .... me prêt....... 100 francs?

2. - Il .... s'inscri....... à l'université?
   - Oui bien sûr, s'il a une équivalence du baccalauréat.

3. - Nous .... assist**er** à votre cours?
   - Oui, si vous avez une autorisation.

4. - Ils .... rest....... quelques jours en France?
   - Naturellement, puisqu'ils ont un visa de tourisme!

5. - Vous .... me .... où sont les Invalides?
   - Désolé, mais je ne connais pas Paris!

6. - Tu .... avec moi à la Préfecture de Police?
   - Impossible, je suis pris toute la journée.

7. - Vous .... m'aid.......? Je ne sais pas remplir cet imprimé!
   - Malheureusement, je ne .... pas! J'ai oublié mes lunettes.

8. - Je ne .... pas trouv....... mes papiers.
   - Alors, nous allons vous conduire au poste de Police.

9. - Vous .... ma voiture ce matin?
   - Impossible aujourd'hui! Le mécanicien est malade.

10. - Nous .... l'addition par chèque?
    - Je regrette mais le restaurant n'accepte plus les chèques.

④ Faisons le point:

Service, information

1. Est-ce que .... me prêter 1 000 francs?
2. Est-ce que .... m'aider à déménager?
3. Est-ce que .... me conduire à l'aéroport?
4. Est-ce que .... me dire où vous habitez?

Intention, désir

1. Est-ce que .... aller en France?
2. Est-ce que .... continuer tes études?
3. Est-ce que .... rester dans ce pays?
4. Est-ce que .... louer un studio ou un appartement?

Obligation

1. Pour rester plus de trois mois en France, ... une carte de séjour.
2. Pour conduire en France, ... un permis de conduire et une assurance auto.
3. Pour vous inscrire à l'université, ... une équivalence du baccalauréat.
4. Pour voter, ... être majeur et être inscrit sur les listes électorales.

Permission, autorisation, droit

1. .... utiliser ta voiture?
2. .... occuper votre appartement pendant votre absence?
3. .... s'inscrire à l'université? Ils ont l'équivalence du baccalauréat.
4. Le pharmacien ne .... pas vous vendre ce médicament sans ordonnance.

Capacité, incapacité

1. Elle n'a pas d'argent, elle .... partir en vacances.
2. Nous sommes trop vieux, nous ne .... plus skier.
3. Moi, je .... encore skier toute la journée et pourtant j'ai soixante-dix ans!
4. Vous .... lire les journaux français?

⑤ C'est compliqué, mais ça s'arrange toujours!

1. - Pourquoi restez-vous là? Il fait froid!

   - Je .... téléphoner, mais la cabine est occupée.

2. - Pardon Monsieur, je .... aller à Lille, mais je ne .... pas où est la gare du Nord.

3. .... un carnet de tickets ou une carte orange?

   - Je .... une carte orange, c'est plus pratique.

4. - En France, ... rouler à droite ou à gauche?
   - A droite!

5. - Tu .... où est l'université de Paris III?

   - Oui, tu .... prendre le métro jusqu'à Censier-Daubenton.

6. - Je .... ouvrir un compte en banque.

   - Alors, tu .... montrer une pièce d'identité.

7. - Dans le métro, je .... garder mon ticket?
   - Oui bien sûr! Il y a des contrôles fréquents!

8. - Où vas-tu?

   - Je .... aller à la poste pour envoyer un télégramme.

9. - Vous avez des photos d'idendité?
   - Non.

   - Alors vous .... revenir avec 2 photos!

10. - Comment! Vous avez un ticket de seconde classe? Alors, vous .... monter en seconde, pas en première! Ne partez pas! Vous .... payer une contravention de 30 francs.

11. - Désolé! Mais sans passeport, vous ne .... pas rentrer au Japon.

12. - Avec 1200 francs par mois, on ne .... pas vivre facilement à Paris!

13. - Le feu est vert! Vous .... rouler!

14. - Ah non! C'est un sens unique! Tu ne .... pas passer, c'est interdit.

15. - Attention! .... t'arrêter, il y a un feu rouge!

⑥ Qu'est-ce que ça veut dire?

CHÈQUES ACCEPTÉS	....
INTERDICTION DE STATIONNER	On ne doit pas stationner là
ENTRÉE INTERDITE	....

DÉFENSE DE FUMER	....
ENTRÉE GRATUITE	....
COURS OBLIGATOIRE	....
DÉFENSE D'AFFICHER	....
TABAC	....
RENSEIGNEMENTS	....

Dictionnaire :

falloir ⟶ **il faut**

savoir → **sai** ... / **sav** ...

- je sais
- tu sais
- il sait
- ils savent
- nous savons
- vous savez

devoir → **doi** ... / **doiv**... / **dev** ...

- je dois
- tu dois
- il doit
- ils doivent
- nous devons
- vous devez

vouloir → **veu** ... / **veul**... / **voul**...

- je veux
- tu veux
- il veut
- ils veulent
- nous voulons
- vous voulez

pouvoir → **peu** ... / **peuv**... / **pouv**...

- je peux
- tu peux
- il peut
- ils peuvent
- nous pouvons
- vous pouvez

Vous voulez **Nous devons** **Il faut** **Je sais** **Ils peuvent**	demand**er** un visa.	
Il faut **Nous voulons**	un visa.	
Je sais	**comment** on demande un visa. **où** on demande un visa. **à quel bureau** on demande un visa. **quand** on demande un visa.	

DOSSIER 12

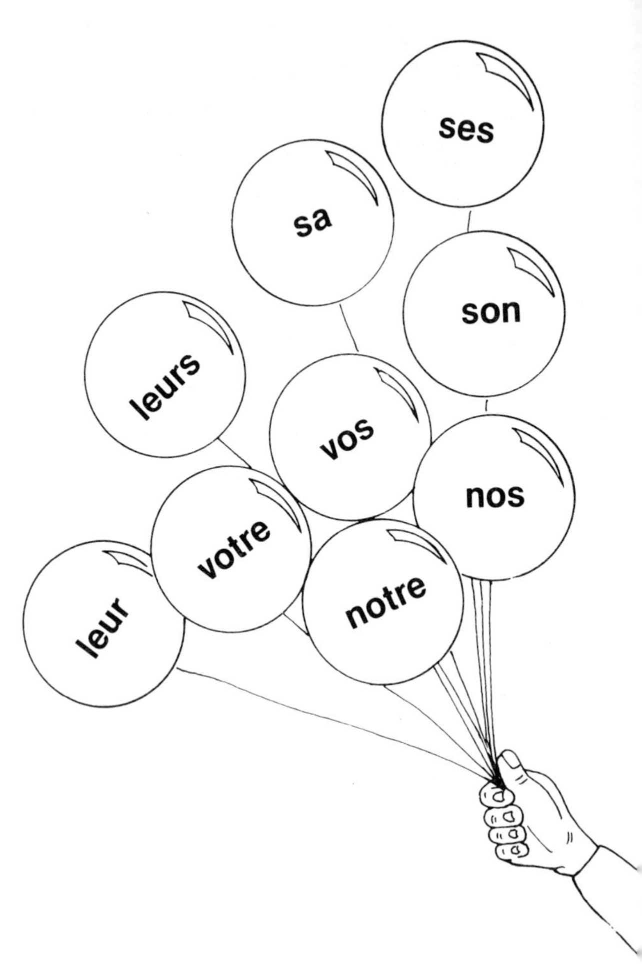

Tiens voilà le facteur !

Vous êtes attendus!

Nous invitons tous **nos** amis dans **notre** nouvel appartement, samedi à 20 heures.
Voici **notre** nouvelle adresse et **notre** nouveau numéro de téléphone.

Bienvenue

1. .... immeuble est construit depuis deux ans seulement.
2. .... quatre pièces donnent sur une grande cour.
3. .... salle de séjour est claire.
4. Le seul problème, c'est que .... voisins font de la musique tous les soirs!
5. .... quartier est un peu loin du centre mais très calme.
6. .... enfants sont très contents de .... nouvelle installation.

Nous acceptons avec plaisir!

Merci beaucoup de **votre** invitation.
Nous serons très contents de connaître **votre** appartement et de revoir **vos** enfants.

A très bientôt!

1. Nous espérons que .... installation se passe bien et que .... nouvelle vie en banlieue vous plaît.
2. Merci beaucoup de .... belles photos.
3. Comment vont .... parents et .... fils Patrick?
4. A très bientôt dans .... bel appartement!
5. .... amis Michèle et Marc.

3 De l'université à l'ancien lycée

	Chère Laurence et chère Armelle,
	Nous sommes à Caen, depuis deux mois maintenant et .... vie d'étudiantes nous plaît. Nous habitons à la Cité Universitaire : .... chambres sont confortables mais toutes petites.
université cours professeurs camarades, etc.	....
	Et vous ? Comment allez-vous ? Comment se passe .... vie à Deauville ? Y-a-t-il beaucoup de problèmes dans .... lycée ?
classe professeur de philosophie amis week-ends, etc.	....
	Nous attendons de .... nouvelles et nous vous embrassons amicalement.
	Isabelle et Agnès

Faire-parts

Alain et Nicole Roux sont heureux de vous annoncer la naissance de **leur** fille Virginie.

Monsieur et Madame Saline et **leurs** enfants ont la douleur de vous faire part de la mort accidentelle de **leur** frère et oncle Gérard Saline âgé de 28 ans.

4 Quelles nouvelles ?

1. **Pauline et Sylvain Froment** ont le plaisir de vous communiquer .... nouvelle adresse et .... nouveau numéro de téléphone.
2. **Monsieur et Madame Picard, Monsieur et Madame Bourguignon** sont heureux de vous annoncer le mariage de .... enfants Mireille et Luc.
3. **Arnaud et Brigitte** ont la joie de vous annoncer la naissance de .... filles Stéphanie et Sophie, le 2 octobre.
4. **Les habitants** du 14e arrondissement ont le plaisir de vous inviter à une exposition sur l'histoire de .... quartier.
5. **La directrice, les professeurs et les enfants** de l'école Jules Ferry vous invitent à visiter .... nouvelles classes.

(5) «Armelle, il y a une lettre d'Isabelle et d'Agnès!»

- Qu'est-ce qu'elles disent?

- Elles nous racontent .... vie à Caen. Elles nous parlent de .... chambres à la cité, de ....

de ....

Elles nous demandent s'il y a beaucoup de problèmes dans .... lycée.

Elles nous demandent ....

....

....

....

....

notre	votre	leur	père / voiture	
nos	vos	leurs	photos / parents	

L'heure du courrier chez les Saule

Il y a une lettre des Etats-Unis. C'est **Paul**! **Il** nous raconte **son** voyage, **ses** aventures en Californie et **sa** vie là-bas. Il parle **des Américains**, de **leur** accueil, de **leur** richesse, de **leurs** restaurants, etc.

(6) Quoi de neuf?

1. Michel m'écrit qu'il passe .... vacances à la campagne pour écrire .... thèse.
2. Il y a une lettre de l'école. Les enfants n'ont pas classe demain : .... professeurs sont en grève! Ils disent que .... salaire est trop bas et que .... classes sont trop nombreuses. Ils oublient de dire que .... vacances sont trop longues!
3. Paul et Annie nous invitent à .... réunion politique. J'aimerais connaître précisément .... idées.
4. Le docteur Adet nous donne l'adresse de .... nouveau cabinet.
5. André Lerond invite à l'occasion de .... départ pour le Japon. Tu peux y aller?
6. Tu sais que Jacques et Alain Duchêne ont perdu .... mère?
   Voilà le faire-part de .... mort.

7 Faire-parts

Monsieur et Madame Jean Firmin
Jérôme, Olivier et Lydwine
ont la joie de vous annoncer la naissance de

ANNE-LAURE

le 10 juin 1980

et vous prient de noter leur nouvelle adresse à partir du 1er août :
8, rue du Clos des Vignes. 60560 Beauvais

Le Docteur Jean Adet ....
....
....
....
....
....
....

....
....
....
....
....
....
....

....
....
....
....
....
....
....

Jacques et Alain Duchêne ....
....
....
....
....

(1)	**son**	voyage	(1)	
	sa	famille	(1)	
	ses	enfants	(1 + ...)	
(1 + ...)	**leur**	famille	(1)	
	leurs	enfants	(1 + ...)	

DOSSIER 13

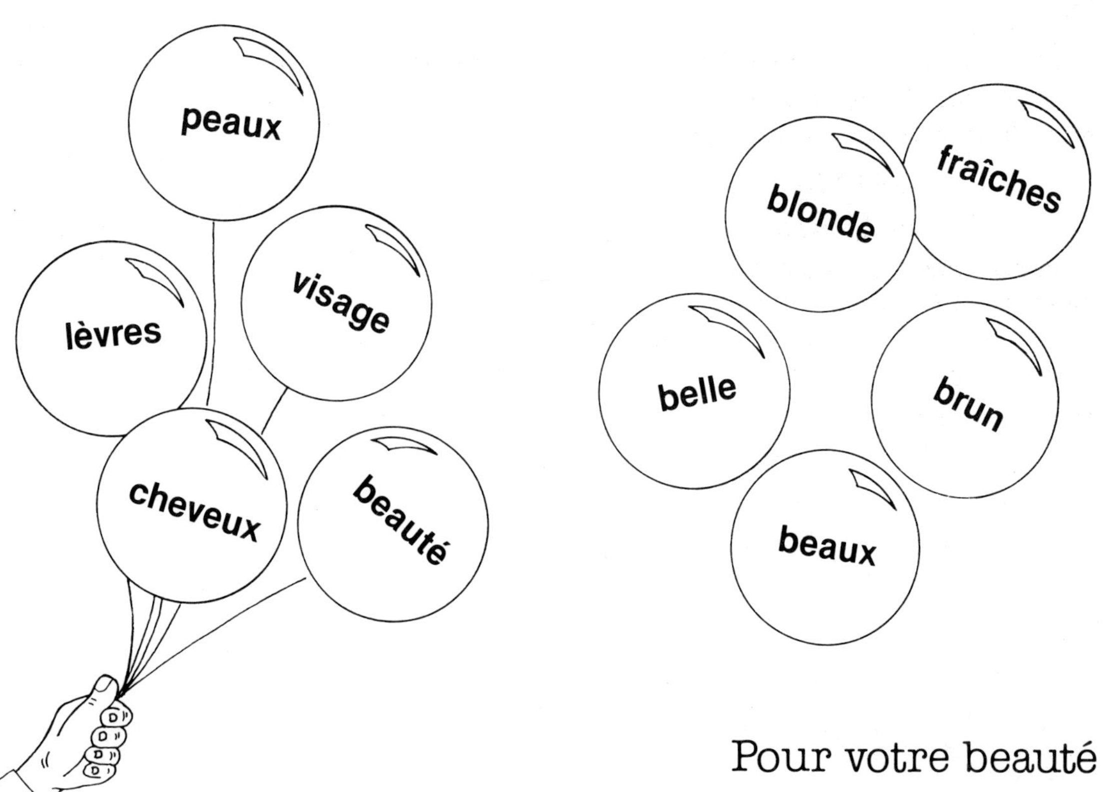

Pour votre beauté

Rien n'est trop riche pour votre beauté

POUR LES PEAUX SENSIBLES

votre parfum

votre peau

votre visage

ONGLES

JOUES

vos lèvres

POUR VOS CHEVEUX

POUR LA BEAUTÉ DE VOS CHEVEUX

DOUCEUR

DOUCE

POUR FAIRE SOURIRE VOS YEUX

DOUX

NOUVELLE FORMULE

FRAÎCHEUR

FRAÎCHE

une nouveauté

nouveaux coloris

NOUVEAU

PEAU NETTE

une grande nouveauté

PEAU SÈCHE

PEAU FRAÎCHE

cheveux secs

PEAU GRASSE

cheveux faciles

cheveux gras

PEAU NORMALE

CHEVEUX

BLONDS

BRUNS

MAINS DOUCES,
PIEDS FRAIS,
JAMBES LISSES

cheveux propres

Les produits «Maxi» vous conseillent :

- Pour **votre beauté**, essayez **les nouveautés** de chez MAXI !
- Pour **votre peau**, Madame, il y a une crème MAXI !
- Pour **les peaux** sensibles : crème MAXI fine !
- Vous avez **le cheveu** fragile ? Utilisez le shampoing MAXI-doux !
- Pour **vos cheveux**, choisissez un coloris MAXI !

De la tête aux pieds

1. Votre peau est sèche ? Choisissez une crème pour .... sèche**s** !
2. Attention au froid : Protégez **vos** lèvre..... avec MAXI-rouge !
3. **Vos** ongle..... sont cassant**s**. Utilisez la crème MAXI-dur !
4. **Vos** .... seront douce**s** avec MAXI-main !
5. Pour éclairer votre regard, faites briller **vos** ....! Utilisez les Mascaras MAXI !
6. Pour décolorer **vos** cheveu....., les décolorants MAXI-blond !
7. Pour protéger **vos** ...., le dentifrice MAXI-émail !
8. Protégez votre teint ! Donnez de la couleur à **vos** joue..... : les rouges MAXI !

Chez l'esthéticienne

1. - **Mes** cheveu**x** sont trop .... et ils ne poussent pas.	fin, fine fins ou fines?
2. - Vous avez **les** cheveu**x** très ...., Madame! - Oui, mais je préférerais être	blond, blonde blonds ou blondes? brun, brune bruns ou brunes?
3. - Vous avez **la** peau un peu .... Je vous conseille cette crème pour peau**x**	gras, grasse gras ou grasses?
4. - Prenez cette crème de jour: Vous aurez toujours **un** teint	frais, fraîche frais ou fraîches?
5. - **Vos** cheveu**x** sont très ...., il faut les laver avec un shampoing spécial.	sec, sèche secs ou sèches?
6. - Vous avez **les yeux** ...., essayez cette couleur, **ils** seront plus ....!	bleu, bleue bleus ou bleues? lumineux, lumineuse lumineux ou lumineuses?
7. - Comment faites-vous pour avoir **une** peau si ....?	doux, douce doux ou douces?
8. - **Mes** ongle**s** sont .... et ils se cassent souvent. Que dois-je faire?	mou, molle mous ou molles?
- Utilisez **les** .... produit**s** à ongles MAXI: ils sont garantis. - Il y a **une** .... crème MAXI-dur.	nouveau, nouvelle nouveaux ou nouvelles?
9. - Sylvie a de très .... main**s**! - Oui, c'est vrai, **elles** sont très fine**s** et très	beau, belle beaux ou belles? long, longue longs ou longues?
10. - J'aime beaucoup **ses** petit**s** **yeux** très	vif, vive vifs ou vives?
11. - **Son** sourire est un peu .... - Oui, mais **elle** est très	moqueur, moqueuse moqueurs ou moqueuses? gentil, gentille gentils ou gentilles?
12. - Vous dites que votre visage est ...., qu'**il** est triste et fatigué? Venez dans notre salon: des esthéticiennes vous conseilleront!	vieux, vieille vieux ou vieilles?

③ Rien n'est trop beau pour vous!

Madame, vous voulez être ....?

Pour avoir la peau ...., les dent..... ...., le teint ...., les lèvre..... ...., les main..... .... et les ongle..... ...., le visage ...., l'oeil ...., les joue..... ...., une chevelure .... et ...., choisissez LEVRON.

④ Le publiciste de LEVRON présente à Paris des produits nouveaux:

• Un nouveau Mascara:

....

• Un nouveau vernis à ongles:

....

• Une nouvelle crème de nuit:

....

• Un nouveau shampoing colorant:

....

• ....

....

• ....

....

DOSSIER 14

Contacts difficiles

Ça ne marche pas toujours!

- Pardon Mademoiselle, vous êtes française?
- Comment?
- Je vous **demande si** vous êtes française.
- Non, non...
- Il fait froid ce soir, n'est-ce pas?
- Pardon?
- Je **dis qu'** il fait froid ce soir!
- Oui, oui...
- Vous êtes seule?
- Comment?
- Je vous **demande si** vous êtes seule.
- Ah! Non, non...

Dialogue de sourds

1. - Je prends mes vacances le mois prochain.
   - Pardon? Qu'est-ce que vous dites?
   - Je dis .... je prends ....

2. - Je n'aime pas la montagne.
   - Pardon? Qu'est-ce que vous dites?
   - .... que je n'........... pas ....

3. - Je veux aller en Bretagne.
   - Pardon? Qu'est-ce que vous dites?
   - .... je veux ....

4. - Ma femme préfère partir en Italie.
   - Pardon?
   - Je..

5. - Elle aime beaucoup les musées de Florence.
   - Pardon?
   - Je..

6. - Vous entendez mal?
   - Pardon?
   - Je demande ..... vous entendez mal.

7. - Vous aimez la montagne, vous?
   - Pardon?
   - .... si ....

8. - Vous connaissez l'Italie?
   - Pardon?
   - .... vous connaissez ....

9. - Est-ce que vous partez en vacances cette année?
   - Qu'est-ce que vous dites?
   - Je ....
10. - Vous faites du ski?
    - Pardon?
    - ....

Avec de la patience, peut-être...

- **Qu'est-ce que** vous faites là?
- Pardon?
- Je vous demande **ce que** vous faites là.
- Rien, rien...
- **Est-ce que** vous voulez prendre un café?
- Comment?
- Je vous demande **si** vous voulez prendre un café.
- Non, non...
- **Qu'est-ce que** je peux vous offrir alors?
- Quoi?
- Je vous demande **ce que** je peux vous offrir.
- Ah! Rien, rien...
- **Est-ce que** je vous dérange?
- Hein?
- Je vous demande **si** je vous dérange.
- Non, non.

Interview d'une actrice de cinéma

1. - **Est-ce que** je peux vous poser quelques questions?
   - Qu'est-ce que vous voulez savoir?
2. - **Est-ce que** vous prenez toujours vos vacances à Saint-Tropez?
   - Bien sûr, je passe toujours le mois d'août à Saint-Tropez.
3. - **Qu'est-ce que** vous aimez comme sport ?
   - J'aime prendre des bains de soleil !
4. - Le soleil n'est pas mauvais pour votre peau?
   - J'utilise une crème solaire!
5. - **Qu'est-ce que** vous utilisez comme crème?
   - Ah ça, c'est mon secret!

Qu'est-ce que le journaliste demande à l'actrice?

1. Il lui .... s'il peut lui poser quelques questions.
2. .... si ....
3. Il lui demande .... comme sport.
4. Il ....
5. ....

Et l'actrice, quelles sont ses réponses? (voir page 82)

2. Elle lui dit .... à Saint-Tropez.
3. .... bains de soleil.
4. Elle lui répond ....
5. ....

3 Et que disent-ils encore?

1. Elle lui dit .... n'aime plus le théâtre.
2. Il lui demande .... fait généralement pendant le week-end.
3. Elle dit .... elle passe son temps à écouter de la musique.
4. Il lui demande .... elle écoute comme musique.
5. Elle lui dit .... elle adore le jazz américain.
6. Il lui demande .... elle aime le cinéma italien.
7. Elle dit .... préfère les films américains.
8. Il lui demande .... elle aime lire.
9. Elle répond .... elle ne lit pas beaucoup.
10. Il lui demande .... elle pense faire du cinéma très longtemps.

4 L'interview en direct (voir les numéros 6, 7, 8, 9, 10 ci-dessus)

Le journaliste : « .... ? »

L'actrice : « .... ! »

Le journaliste : « .... ? »

L'actrice : « .... ! »

Le journaliste : « .... ? »

En lisant le «Ciné-Magazine» de Sophie Saule

(La mention inutile est rayée)

1. Vous connaissez Alain Delon?	Oui	~~Non~~	Elle dit ....
2. Vous savez où il passe ses vacances?	~~Oui~~	Non	....
3. Est-ce que vous avez vu son dernier film?	Oui	~~Non~~	....
4. Vous voulez savoir s'il est sportif?	Oui	~~Non~~	....
5. A votre avis, les films de A. D. sont amusants?	~~Oui~~	Non	Elle trouve ....
6. Est-ce que vous trouvez qu'on parle trop souvent de A. D.?	Oui	~~Non~~	....
7. Vous avez une photo de A. D. chez vous?	~~Oui~~	Non	Elle répond ....
8. Vous le trouvez très beau?	Oui	~~Non~~	....

«Je ne comprends rien»	il dit / il répond } **qu'il ne comprend rien**
«Vous comprenez, Sophie?» «**Est-ce que** vous comprenez?» «**Comprenez-vous**?»	Il lui demande **si elle comprend**
«**Qu'est-ce que** vous comprenez, Sophie?» «**Que comprenez-vous**?»	Il lui demande **ce qu'elle comprend**

6 Sur les Champs-Élysées

qu'est_ce que vous faites ce soir ?
Mais qu'est_ce qu'il demande encore ?
Est_ce que vous aimez les crèpes bretonnes?
quoi? qu'est_ce qu'il dit?
Non? Alors qu'est_ce que vous voulez manger?
Je ne comprends rien!
qu'est_ce qu'elle dit?
何言っているんだか分らないけど
それにしても。しつこいわね、彼。
もう行きましょう。
それに、私あんなダサイ人嫌い。

DOSSIER 15

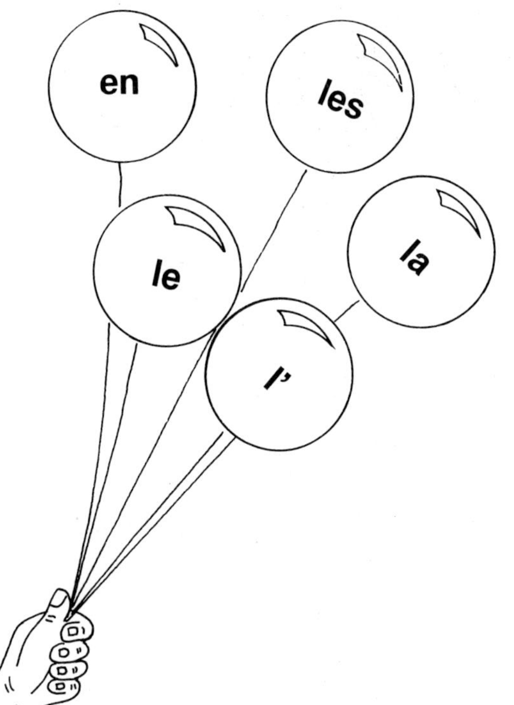

Le «cordon bleu»

Le pot au feu

Il faut pour 4 personnes :
- 800 g de viande de pot au feu (gîte, plat de côtes)
- un os à moelle
- 3 poireaux
- 3 carottes
- 3 navets
- 2 oignons
- 1 gousse d'ail
- 1 kg de pommes de terre
- sel et poivre

Voici comment vous le préparez :
Vous épluchez **les poireaux, les carottes, les navets, les oignons,** et vous les mettez à bouillir dans une grande marmite avec trois litres d'eau.
Vous prenez **la viande** et vous la mettez dans l'eau bouillante.
Vous laissez cuire doucement trois heures.
Une heure avant la fin, vous prenez **l'os à moelle** et vous l'ajoutez dans la marmite.
Vous sortez **la viande** et vous la servez entourée des légumes.

Le rôti de veau en cocotte

Il faut pour 4 personnes :
- un rôti de veau d'un kilo
- une carotte
- un oignon
- 30 g de margarine
- sel, poivre

Vous prenez **le rôti** et vous .... mettez à dorer dans une cocotte.

Vous épluchez **la carotte et l'oignon** et vous .... ajoutez dans la cocotte.

Vous salez et poivrez et vous laissez cuire une heure quinze.
Vous retirez **le rôti** de la cocotte.

Vous .... gardez au chaud.
Vous mettez un demi-verre d'eau à bouillir.

Quand **cette eau** est bouillante, vous .... versez dans la cocotte : vous faites **la sauce** et vous .... servez avec le rôti coupé en tranches.

Utilisez la cocotte-minute «Cordon-bleu»

Mesdames, gagnez du temps et réussissez vos plats ; **ne les surveillez plus** pendant de longues heures ! **Préparez-les** dans la cocotte-minute «Cordon-bleu» !

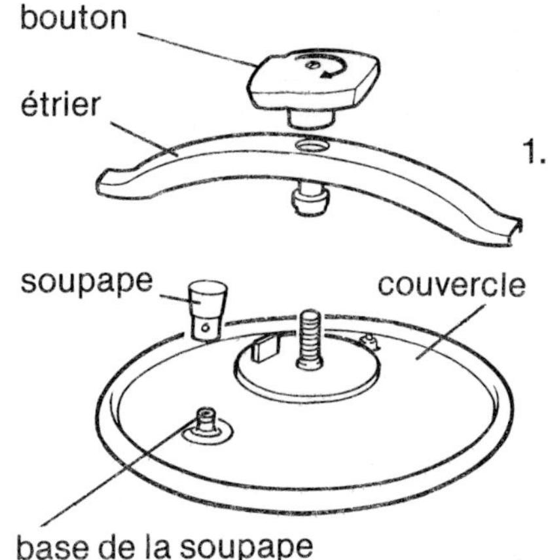

1. Pour mettre le couvercle :
   - **Glissez-le** horizontalement et **emboîtez-le** sur le corps de la cocotte.
     Attention à l'étrier ! **Ne le laissez pas** au-dessus de la base de la soupape.
   - Tournez le bouton dans le sens de la flèche.
     Attention ! **Tournez-le** bien.

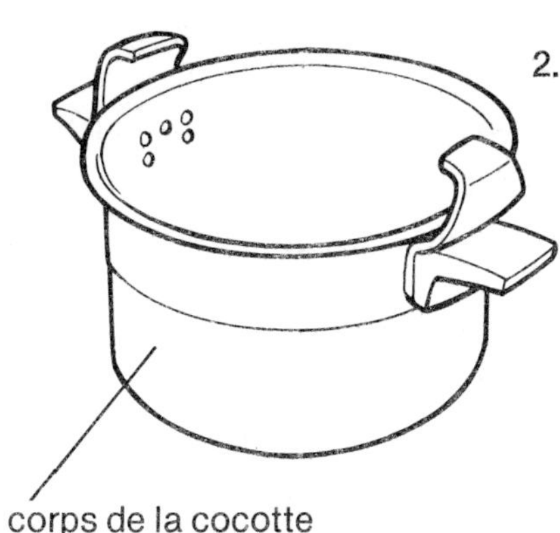

2. Pour mettre la soupape :
   - **Posez-la** bien verticalement sur sa base.
   - Attention ! **Ne la vissez pas** mais **appuyez-la** bien.

2 Madame Saule achète une cocotte-minute

1. - Vous me conseillez de **faire mes potages** dans la cocotte, Monsieur?
   - Mais oui Madame, faites-......... dans votre cocotte.
2. - Et **mon pot-au-feu** aussi?
   - Mais bien sûr Madame, ... dans votre cocotte, cela va beaucoup plus vite!
3. - Est-ce que je peux **ouvrir ma cocotte** pendant la cuisson?
   - Ah non, ..., c'est dangereux!
   - Il faut d'abord faire tomber la pression.
4. - Est-ce que je peux **mettre ma cocotte** dans la machine à laver la vaiselle?
   - Non Madame, ... dans le lave-vaiselle, lavez-..... à la main.

3 Mode d'emploi

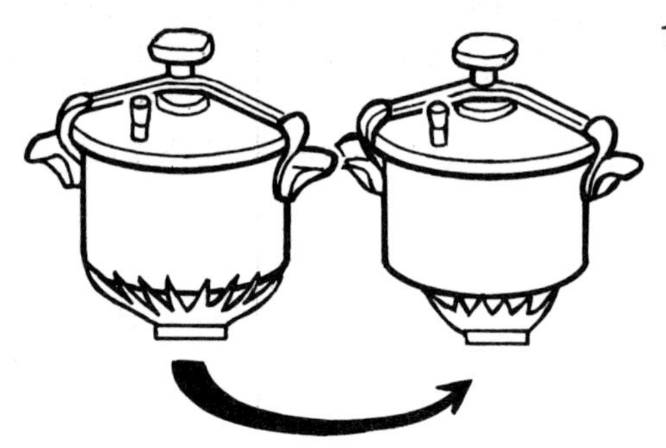

1. Pour compter le temps de cuisson :
   (**réduire**)

   Posez votre cocotte sur **le feu**; ....
   quand la soupape commence à tourner.
   Vous comptez le temps de cuisson à partir de ce moment-là.

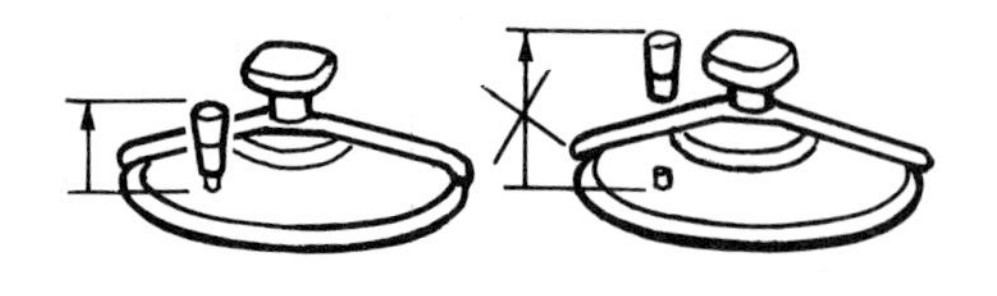

2. Pour faire tomber la pression :
   (**soulever**, **retirer**, **placer**, **ouvrir**)

   Utilisez **la soupape** :

   ....
   Mais ....
   Ou bien utilisez de l'eau froide : prenez **la cocotte** et .... sous un robinet d'eau froide pendant quelques instants.
   Attention .... jamais avant d'avoir fait tomber la pression.

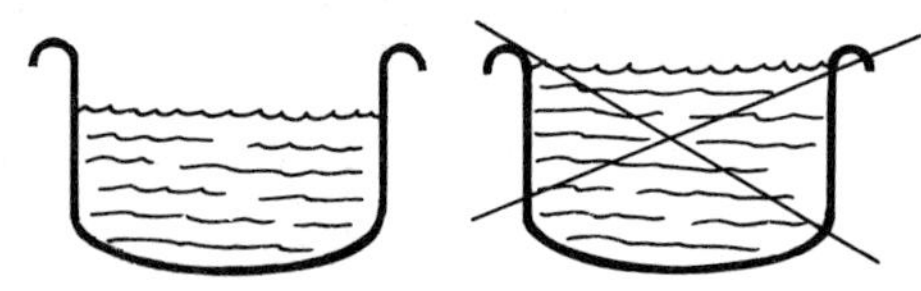

3. Jusqu'où **remplir la cocotte-minute?**
   .... jusqu'aux 2/3.
   .... jusqu'en haut.

4. Comment **nettoyer la cocotte-minute?**
   .... à l'eau chaude pure.
   Attention !.. avec des produits détergents.

L'art de recevoir : l'apéritif

On **doit le servir** avant le repas. Vous pouvez offrir du whisky, du gin, des vins sucrés (porto, banyuls, martini), du champagne, de la bière, et des jus de fruits.
Vous pouvez aussi servir des biscuits salés.

Le whisky : vous **devez le servir** dans un grand verre, avec de la glace et de l'eau gazeuse.

Le champagne : il **faut le servir** frappé dans une flûte.

Les vins sucrés : vous **ne devez pas les servir** froids.

La bière : vous **devez la servir** très fraîche.

Les biscuits salés : vous **pouvez les disposer** sur la table avec art.

Comment mettre le couvert?

1. Vous devez mettre pour chaque convive :
   - une assiette plate et une assiette creuse ;
   - une grande fourchette, un grand couteau et une grande cuiller à soupe ;
   - une serviette ;
   - deux verres, un petit pour le vin et un plus grand pour l'eau.
2. Les deux assiettes : vous devez .... mettre l'une sur l'autre.
3. Le grand couteau : vous .... à droite des assiettes.
4. La grande fourchette : vous .... à gauche des assiettes.
5. La cuiller à soupe : vous .... à côté du couteau.
6. Les deux verres : il faut .... l'un à côté de l'autre, derrière les assiettes.
7. La serviette : vous pouvez .... sur l'assiette , ou bien à droite des assiettes.

5 Comment met-on le couvert dans votre pays?

....
....
....
....
....
....

La recette de Mme Saule

- Madame Saule, pour faire un boeuf bourguignon, vous achetez **de la** viande n'est-ce pas?
- Bien sûr, j'**en** achète.
- Vous **en** achetez **combien** pour quatre personnes?
- J'**en** prends environ **1 kilo**.
- Est-ce que vous mettez également **des** champignons?
- J'**en** mets **un peu**, seulement pour donner du goût.
- Et vous ajoutez **du** vin?
- Bien sûr, on **en** met **un litre**!
- Il faut également **un** pot de crème?
- Moi, je n'**en** mets pas mais généralement les cuisiniers **en** mettent **quelques grammes**.
- Et vous versez **une tasse** de cognac à la fin, je crois.
- Ah non, je n'**en** mets pas du tout, c'est beaucoup trop cher!

Au téléphone:

1. - Allô, c'est bien le supermarché Codec? Service des commandes?
   - Oui, Madame, qu'est-ce que vous désirez?
   - Je voudrais **des** pommes de terre.
   - Vous .... voulez **combien**?
   - J'....... veux **10 kilos**.
2. - Et avec ça?
   - Je voudrais **du** fromage.
   - Quel fromage?
   - **Du** brie.
   - J'....... mets **combien**?
   - J'....... veux **300** ou **400 grammes** au maximum.
3. - C'est tout Madame?
   - Non, mettez-moi aussi **de la** farine.
   - Vous .... voulez **combien**?
   - J'....... veux **un kilo**.

Un cocktail improvisé

1. - Vous avez **des** citrons?
   - Oui, j'....... ai ....
2. - Je vous .... prends **deux** pour faire un punch.
   - Comment ça?
   - Vous prenez **deux** citrons, **du** rhum, **du** sucre en poudre et vous ajoutez **de l'**eau: ça fait un punch!

3. - Mais il faut combien de rhum?
   - Vous .... versez environ ....
4. - Et du sucre, il .... faut **combien**?
5. - Il faut goûter! Mais généralement, j'....... mets ....
6. - Et **de l'**eau, vous .... ajoutez beaucoup?
7. - J'....... mets environ ....
8. - J'ai bien compris! **Des** citrons? Il .... faut **deux**; du sucre en poudre? J'....... mets **500 grammes**; du rhum? Il .... faut **une demi-bouteille**, plus ou moins; et **de l'**eau? J'....... ajoute **deux litres**. C'est ça?
   - Parfait!

Régime et santé

- Martine, je prends **un** café! D'accord?
- Ah non, n'**en** prends pas! Ça te rend malade.
- Alors, je peux boire **une** bière, n'est-ce pas?
- **Une** bière? Prends-**en une**: ça désaltère!
- Tu me donnes une cigarette?
- **N'en** fume **pas**! C'est très mauvais pour toi.
- Alors passe-moi **un** chewing-gum, si tu veux bien.
- Prends-**en un**: ça fait oublier les cigarettes!
- Tu as **des** cachets d'aspirine?
- Prends-**en**; mais attention: ça fait mal à l'estomac!

Ça fait mal à l'estomac?

1. - Tu sais que je voudrais boire **du** vin!
   - Ah non! ....: ça fait mal à l'estomac!
2. - Et **de la** bière alors?
   - Non, ... non plus: ça fait grossir!
3. - Alors qu'est-ce que je peux prendre?
   - Moi, je prends un coca-cola; .... **un**, toi aussi.
4. - Je n'aime pas ça: je .... jamais.
5. - Alors ne bois rien, ou bien prends **un** vittel-menthe!
   - C'est bon?
   - .... **un**, tu verras!
6. - J'ai mal à la tête, je vais prendre **un** cachet d'aspirine.
   - Non, ...: c'est mauvais pour l'estomac!
7. - Alors, qu'est-ce que je peux faire? Prendre **une** verveine?
   - Oui, ... **une**: ça calme les nerfs!

Le petit Saule est malade

- Maman, je peux manger **du** gâteau?
- Non, tu ne **dois pas en prendre** maintenant! Tu sais bien que tu es malade.
- Maman, j'ai besoin **de** vitamines, je me sens faible.
- Ah oui! Je **dois en acheter**. Les vitamines, ça fortifie!
- Maman, il faut prendre **un** rendez-vous chez le médecin.
- Ne t'inquiète pas! Nous **allons en prendre un**!
- Je ne peux plus manger! J'ai pris **trop de** poisson.
- Ah non! Il **ne faut pas en laisser** dans ton assiette!

Chez le médecin:

1. - Je peux boire **du** vin, docteur?
   - Non, vous ne .... C'est contre-indiqué dans votre état.
2. - Et **des** cigarettes, je peux .... fumer?
   - Non, il ne ....: c'est encore plus mauvais que le vin!
3. - Alors comment vivre?
   - **Du** vin, **de l'**alcool, vous ne .... **Des** cigarettes, il ne .... **Du** sport, vous .... mais modérément. **De la** gymnastique, il .... tous les jours. **Des** légumes, vous .... manger à tous les repas. **De la** viande, vous .... de temps en temps. Ainsi, vous vivrez jusqu'à 100 ans!
4. - Il faut faire **des** sacrifices pour maigrir!
   - Oui, il ...., mais pas trop! Il faut surtout **de la** patience et vous .... avoir; il faut aussi **de la** volonté et vous ...., n'est-ce pas? Je vous souhaite **beaucoup de** courage.
   - Ah oui docteur, ... avoir!

10 Questionnaire: Où en est votre santé?

1. Vous buvez du vin tous les jours? ....
2. Vous fumez un paquet de cigarettes par jour? ....
3. Vous ne faites jamais de gymnastique? ....
4. Vous mangez beaucoup de pain? ....
5. Vous prenez des médicaments? ....
6. Vous ne mangez jamais de légumes? ....
7. Vous mangez trop de viande? ....

(11) Madame Fromentin veut maigrir. Donnez-lui quelques conseils

1. Est-ce que je dois sauter le petit déjeuner?

....

2. Est-ce que je peux manger des gâteaux?

....

3. Est-ce que je peux boire du thé?

....

4. Est-ce que je dois supprimer le sucre?

....

5. Est-ce que je dois manger des légumes?

....

6. Est-ce que je peux prendre les comprimés «Jolimince»?

....

7. Est-ce que je dois faire de la gymnastique?

....

8. Est-ce qu'il faut supprimer le tabac?

....

(12) Votre recette préférée :

....

....

....

....

....

....

....

....

....

....

....

Commentaire : Si vous répondez **oui** aux questions 1, 2, 4, 5, 7 faites attention ! Votre santé est en danger. Si vous répondez **non** aux questions 1, 2, 4, 5, 7 bravo ! Continuez à vivre comme ça !

Le rôti, **La** sauce, **Les** légumes,	vous vous vous	**le** **la** **les**	mettez dans la cocotte
	mettez- mettez- mettez-	**le** **la** **les**	dans la cocotte
	ne **ne** **ne**	**l'** **l'** **les**	oubliez **pas** dans la cocotte
	il faut vous devez on peut	**le** **la** **les**	mettre dans la cocotte
	il **ne** faut **pas** vous **ne** devez **pas** on **ne** peut **pas**	**l'** **l'** **les**	oublier dans la cocotte

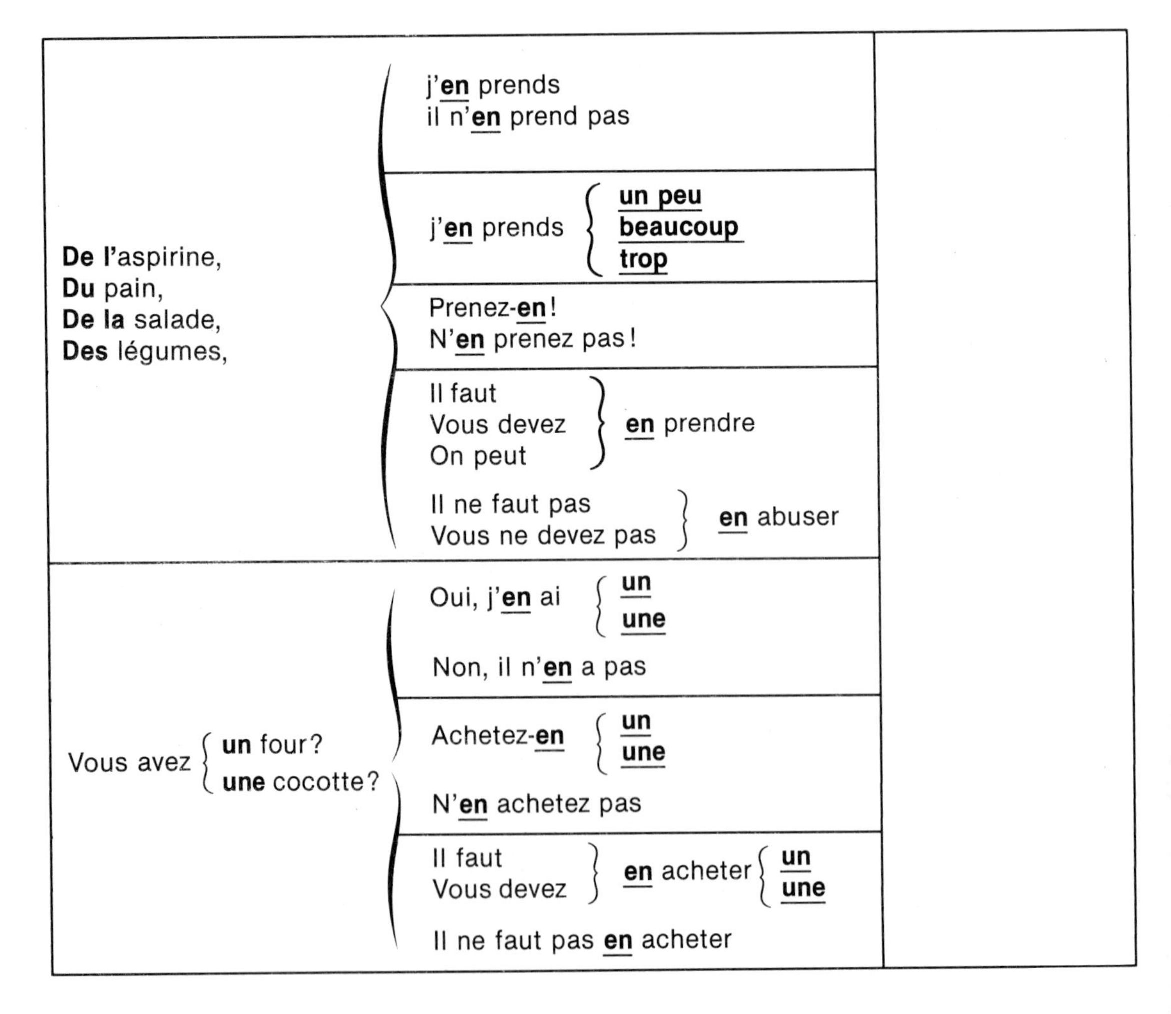

De l'aspirine, **Du** pain, **De la** salade, **Des** légumes,	j'**en** prends il n'**en** prend pas	
	j'**en** prends	**un peu** **beaucoup** **trop**
	Prenez-**en** ! N'**en** prenez pas !	
	Il faut Vous devez On peut	**en** prendre
	Il ne faut pas Vous ne devez pas	**en** abuser
Vous avez **un** four ? / **une** cocotte ?	Oui, j'**en** ai	**un** **une**
	Non, il n'**en** a pas	
	Achetez-**en**	**un** **une**
	N'**en** achetez pas	
	Il faut Vous devez	**en** acheter **un** / **une**
	Il ne faut pas **en** acheter	

DOSSIER 16

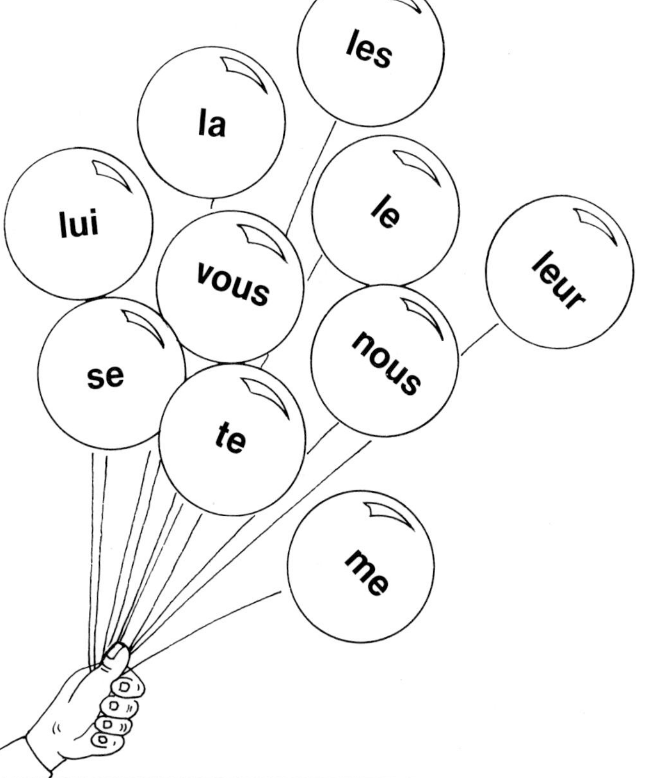

Vies privées

Le 10 avril

«Ma chère Catherine,

Je **t'** écris pour **te** parler de mes difficultés avec Paul. Tu pourras peut-être **me** donner des conseils car tu **nous** connais bien tous les deux et je sais que Paul **vous** aime bien, toi et Michel...»

Ce n'est pas facile de vivre à deux!

1. Je .... explique: depuis quelques mois, Paul .... parle beaucoup moins, il ne .... écoute pas, il ne .... téléphone plus dans la journée comme avant, il ne .... emmène plus avec lui quand il voyage, il n'est plus le même! Je ne comprends pas ce qui se passe!
2. Peut-être peux-tu .... expliquer; je sais en effet que Paul .... téléphone assez souvent, et qu'il .... parle de son travail et de ses lectures. Est-ce qu'il .... parle aussi de moi?
3. Nous .... aimons beaucoup, toi et Michel et je pense que vous pouvez .... aider. J'aimerais bien .... inviter un soir chez nous.
4. Ma chère Catherine, je .... remercie d'avance de ton aide, et j'espère .... voir bientôt. Je .... embrasse amicalement.

Hélène

Vie de famille

1. Paul a décidé de **quitter** Hélène.
   Hélène : « Ne ....! »
2. Jérôme Hébert est très en colère mais n'**explique** pas pourquoi.
   Sa femme : « .... pourquoi tu es furieux ! »
3. Pierre Saule a une petite amie mais il ne l'a pas encore **présentée** à ses parents.
   Ses parents : « .... ton amie ! »
4. Alain veut demander un conseil et **dérange** son père qui lit.
   Son père : « Ne ....! »
5. Valérie Dubois sort très souvent avec un garçon et **parle** de lui à ses parents.
   Ses parents : « Ne .... de lui ! »
6. Agnès **s'inquiète** parce que son mari fume de plus en plus.
   Catherine : « Ne ....! »
7. Anne Rivière est malade mais elle continue à **se fatiguer** et ne veut pas **se reposer.**
   Sa fille : « ne .... et .... »
8. Paul **regarde** Hélène avec des yeux tristes.
   Hélène : « Ne .... avec ces yeux-là ! »
9. Sophie Berteau est déprimée mais elle ne veut pas **raconter** à ses amis ce qui se passe.
   Ses amis : « .... ce qui se passe ! »

Sophie Berteau raconte :

Je n'en peux plus ! C'est moi qui ai toutes les responsabilités de la famille :
Quand il faut conduire **les enfants** à la piscine, c'est moi qui **les** conduis !
Quand il faut consoler **Yann** qui pleure, c'est moi qui **le** console !
Quand il faut faire réparer **la voiture**, c'est moi qui **la** fais réparer !
Quand il faut aider **Julien** à faire ses devoirs, c'est moi qui **l'**aide !
Quand il faut téléphoner **au médecin**, c'est moi qui **lui** téléphone !
Quand il faut parler **à la directrice** de l'école, c'est moi qui **lui** parle !
Quand il faut écrire **à nos parents**, c'est moi qui **leur** écris !

Refrain !

1. - Et c'est toi qui fais **la cuisine**, bien sûr !
   - Evidemment, c'est moi qui .... fais.
2. - C'est toi aussi qui prépares **le petit déjeuner** le matin !
   - Oui, bien sûr, je .... prépare tous les matins.

3. - C'est toi qui téléphones **au plombier**, quand il y a un problème dans la salle de bains?

   - Mais oui, c'est moi qui .... téléphone.

4. - C'est toi qui emmènes **les enfants** à l'école le matin? Ce n'est pas ton mari?

   - Non, c'est moi qui .... emmène et je vais .... chercher le soir!

5. - Et pour les problèmes d'impôts, c'est ton mari qui écrit **au percepteur**?

   - Non, c'est toujours moi qui .... écris.

6. - C'est toi qui donnes de l'argent **aux enfants** ou bien c'est ton mari?

   - C'est moi! Je .... donne 10F d'argent de poche toutes les semaines!

7. - Et tu vas voir **leurs professeurs** de temps en temps?

   - Oui, je vais .... voir à chaque fin de trimestre.

8. - A Noël et au premier janvier, tu achètes des cadeaux **aux enfants** toute seule?

   - Bien sûr, André n'a pas le temps, c'est moi qui .... achète leurs cadeaux.

9. - Le plus terrible, c'est que je dois punir **les enfants**, André n'est jamais là!

   - Tu .... punis souvent?

   - Quand il le faut!

10. - Oui, mais c'est toi aussi qui .... récompenses quand il le faut?

    - Heureusement!

11. - Et tu ne dis pas **à ton mari** que tu en as assez?

    - Si, je .... dis que c'est trop mais il me répond qu'il a énormément de travail et qu'il n'a pas le temps de s'occuper des affaires de la maison!

4 Quel mari, ce monsieur Berteau! Écoutez-le!

1. La télévision ne marche plus! Répare ....!
2. Les enfants font un bruit infernal! Dis .... de se taire!
3. Julien ne comprend pas son problème de mathématiques! Aide ....!
4. Sylvie pleure encore! Va .... voir et dis .... de se taire!
5. Les enfants sont prêts! Mais conduis .... donc à l'école!
6. J'aimerais bien voir les Hugain. Téléphone .... et dis .... de venir dîner.
7. Julien et Yann sont gentils ce soir!

   Récompense .... Achète .... quelque chose.
8. Ah non, emmène .... plutôt au zoo demain. Comme ça je serai tranquille à la maison!

⑤ Que font-ils? Que disent-ils?

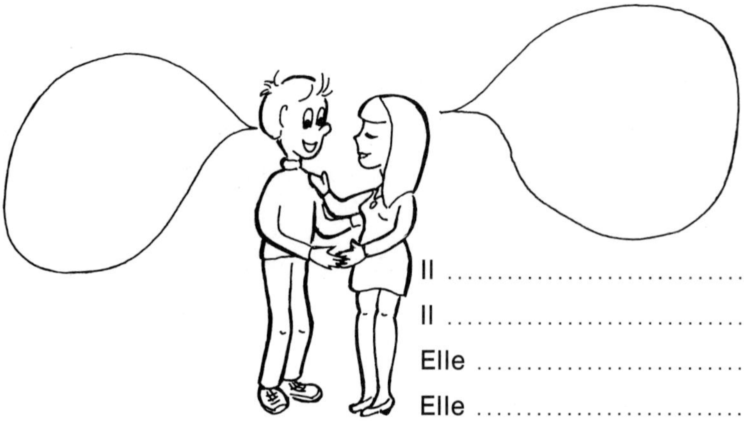

1. embrasser
   aimer
   plaire
   dire que
   quitter
   ...

Il ....

Il ....

Elle ....

Elle ....

2. quitter
   supplier
   aimer
   regarder
   répondre
   oublier
   écrire
   ...

Il ....

Il ....

Elle ....

Elle ....

3. expliquer
   raconter
   consoler
   promettre
   acheter
   donner
   emmener
   ...

La mère ....

Elle ....

La petite fille ....

Elle ....

4. téléphoner
   inviter
   proposer
   donner rendez-vous
   remercier
   embrasser
   apporter
   attendre
   ...

Il ....

Il ....

Elle ....

Elle ....

5. menacer
   supplier
   voler
   tuer
   baillonner
   ligoter
   ...

Il ....

Il va ....

Ils ....

Ils ....

(6) Le courrier du cœur

Vous avez des problèmes de cœur?
Anne Colas vous répond.

1. **Valérie, 16 ans:** Il s'appelle Jean-Louis, il a 16 ans. Il m'aime, je l'aime. Mais mes parents disent que je suis trop jeune pour sortir seule avec un garçon et ils me surveillent sans cesse. Ils ne veulent pas le recevoir à la maison. Je suis très ennuyée. Dites-moi ce que je dois faire.

   Anne Colas: Essayez d'expliquer calmement à vos parents que vous avez 16 ans et que vous n'êtes plus une enfant. Dites-leur que vos sentiments pour ce garçon sont profonds et que votre relation est sérieuse. Et puis, attendez qu'ils s'habituent à cette idée. En attendant, rencontrez-le chez vos amis.

2. **Michel, 17 ans :** J'ai rencontré Isabelle l'année dernière pendant les vacances et depuis ce jour-là, je ne pense qu'à elle. Je lui téléphone souvent, je l'invite à sortir. Mais je n'ose pas lui dire que je l'aime car je crois qu'elle me considère seulement comme un copain ; alors j'ai peur d'être ridicule. C'est une situation très pénible pour moi. Que dois-je faire? Donnez-moi un conseil s'il vous plaît !

   Anne Colas : ....

   ....

   ....

   ....

3. **Agnès, 26 ans :** Je suis mariée depuis 6 ans, j'ai deux enfants. Mon mari boit depuis 5 ans. J'ai essayé de le persuader d'arrêter mais il refuse. Il me dit qu'il est très bien ainsi. Je suis épuisée nerveusement. Les enfants souffrent de cette situation. Que faire ? Dois-je le quitter ?

   Anne Colas : ....

   ....

   ....

   ....

4. **Un autre cas :** ....

   ....

   ....

   ....

   Vos conseils : ....

   ....

   ....

   ....

Elle { regarde conduit quitte écoute ... } Paul	elle { **me / m'** **te / t'** **nous** **vous** **le / l'** **la / l'** **les** } regarde conduit quitte écoute ...	
Elle { parle téléphone plaît écrit ... } à Paul	elle { **me / m'** **te / t'** **nous** **vous** **lui** **leur** } parle téléphone plaît écrit ...	

DOSSIER 17

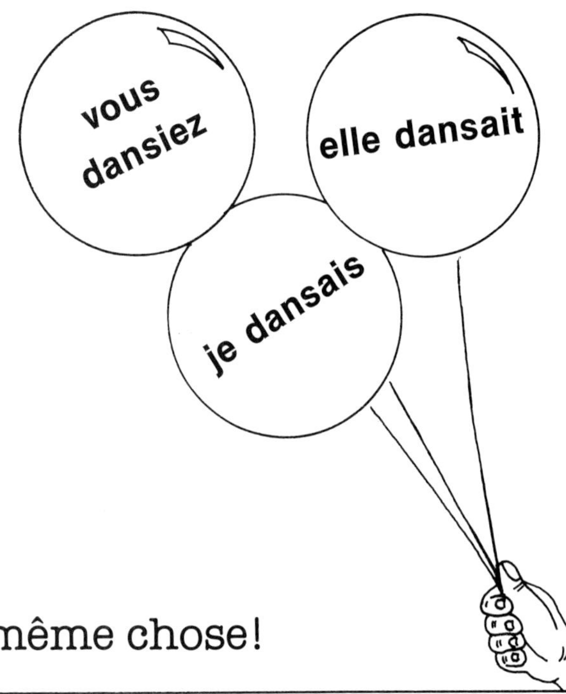

Avant, ce n'était pas la même chose!

Lettre de Monsieur Saule à son fils

« Tu vois mon fils, les générations se suivent mais ne se ressemblent pas. Toi, tu écoutes de la musique, moi j'en **faisais**! Tu vas toutes les semaines au cinéma ou au théâtre ; nous n'**allions** presque pas au cinéma mais nous **lisions** beaucoup. Tes camarades passent leur temps à te téléphoner, les miens m'**écrivaient** de longues lettres. Ta petite amie danse, fume et boit du whisky, comme toi! Ma fiancée ne **fumait** pas, ne **buvait** pas non plus mais elle **savait** coudre et cuisiner... Tu voyages à l'étranger et tu prends souvent l'avion ; moi je **prenais** le train et j'**allais** toujours en vacances dans notre maison de campagne... Vous avez une moto ou une voiture ; nous ne **conduisions** ni moto, ni voiture, nous **devions** aller à pied au lycée.
De mon temps, il n'y **avait** pas de chômage, tout le monde **était** heureux de vivre. On **pouvait** faire des économies et acheter une maison. On **voulait** beaucoup d'enfants : c'**était** ça, la vie.
Nous **étions** curieux et plein d'espoir ; vous êtes blasés et trop indifférents! »

Souvenirs des premiers temps à Paris

1. - Maintenant, nous **trouvons** la vie facile parce que nous **connaissons** bien Paris, nous **parlons** presque couramment, nous **comprenons** tout et nous **avons** quelques amis français.
   - Au début, nous ne connaiss............ personne, nous ne parl............ pas du tout le français et nous ne compren............ rien du tout!

2. - Maintenant nous **savons** prendre le métro!
   - Au début de son séjour, Mario ne sav............ pas prendre le métro, il se perd............ toujours!

3. - Aujourd'hui, nous **conduisons** sans problème même aux heures de pointe! Nous **avons** l'habitude!
   - Tu te rappelles, Maria, au début je ne conduis............ pas, parce que je n'............ pas l'habitude! J'av............ très peur de la circulation à Paris.

4. - Actuellement, nous **allons** une ou deux fois par semaine au cinéma.
   - Avant, vous n'............ pas au cinéma parce que vous ne compren............ pas du tout le français?
   - C'est exact!

5. - Maintenant, nous **faisons** du sport avec des amis et nous **prenons** des cours de yoga.
   - Au début, José ne fais............ pas de sport parce qu'il ne connaiss............ personne. Il rest............ dans sa chambre tous les samedis et il étudi............ le français. Nous pren............ des cours de français ensemble!

6. - Pédro et moi, nous **avons** la télévision.
   - Vous n'............ pas la télévision avant? Qu'est-ce que vous fais............ le soir?

- Pédro lis............ et moi j'étudi............ ou je fais............ le ménage! Nos amis argentins ven............ nous voir tous les soirs et nous parl............ espagnol ensemble!

7. - Vous savez que nous **écrivons** seulement une fois par mois à nos parents.
   - Les premières semaines, moi j' .... presque tous les jours à mes parents; je me sent............ tellement isolée!

8. - Nous **lisons** «Le Monde» et «Libération» tous les jours.
   - Les premiers mois, nos amis italiens ne .... pas les journaux français, ils pren............ un journal italien: nous le .... ensemble, le soir, et nous discut............ de politique! Les journaux français .... trop difficiles pour nous, à ce moment-là.

9. - Généralement, nous **allons** déjeuner au restaurant universitaire.
   - Avant, José n'y .... jamais mais il ven............ déjeuner chez moi parce que je ne voul............ pas sortir! J'............... peur de tout!

10. - Habituellement, nous **buvons** du vin à chaque repas.
    - Au début, José ne .... que du coca-cola, nos amis argentins .... du lait et moi je pren............ seulement de l'eau! Maintenant, nous aussi nous aimons le vin et le fromage comme tous les français!

2 La France en 1950

1. **(aller)** En 1950, les Français .... peu au cinéma.
2. **(se promener, s'intéresser)** On .... souvent à pied et .... beaucoup à la nature.
3. **(avoir, faire)** Il n'y .... pas de vacances d'hiver: je ne .... pas de ski.
4. **(connaître, aller)** Nous .... bien nos voisins et nous .... souvent les voir sans leur téléphoner auparavant!
5. **(avoir, rouler)** Je me rappelle que vous .... une Peugeot 203 qui ne .... que le dimanche.
6. **(prendre, être, s'arrêter, être)** On .... le train pour aller en vacances. Le train n' .... pas aussi confortable qu'actuellement et il s' .... à toutes les gares: c' .... un omnibus.
7. **(voir, être)** On ne .... pas autant de divorces qu'aujourd'hui: les familles .... beaucoup plus unies.

8. **(porter, conduire, faire, voir)** Les femmes ne .... pas de blue-jeans; elles ne .... pas et ne .... pas souvent d'études supérieures. Cependant on en .... déjà quelques-unes devenir ingénieurs ou médecins.

9. **(croire, être, reconstruire, se moderniser, avoir, vouloir)**
Tout le monde .... à la vie: on .... optimiste. Les Français .... la France et le pays ....
Il n'y .... pas encore de crise du pétrole et tout le monde .... acheter sa première voiture.

3 En 1970

1. - Est-ce que votre famille avait la télévision?
   - ...., nous..
2. - Est-ce que vos parents avaient une voiture?
   - ...., ils..
3. - Est-ce que votre père prenait l'autobus pour aller travailler?
   - ...., il..
4. - Est-ce que votre mère travaillait?
   - ...., elle..
5. - Est-ce que vous étiez pensionnaire?
   - ...., je..
6. - Est-ce que vous faisiez du ski tous les hivers?
   - ...., nous..
7. - Est-ce que vous alliez souvent au cinéma?
   - ...., je..
8. - Combien de semaines de vacances les ouvriers avaient-ils?
   - Ils..
9. - Où alliez-vous en vacances?
   - Je..
10. - Est-ce que vous lisiez beaucoup de bandes dessinées?
    - ...., je..
11. - Est-ce qu'on connaissait les Beatles dans votre pays?
    - ...., on..

④ Enquête sur le niveau de vie des Français

(La mention inutile est rayée)

	En **1963** M. et Mme Philippe Saule répondaient :		En **19**..... Pierre Saule répond :	
Vous êtes mariés?	oui	~~non~~	~~oui~~	non
Vous avez des enfants?	oui	~~non~~	oui	~~non~~
Vous avez la télévision?	~~oui~~	non	oui	~~non~~
Vous vous servez d'une machine à laver?	~~oui~~	non	oui	~~non~~
Vous avez une voiture?	~~oui~~	non	oui	~~non~~
Vous êtes propriétaires de votre maison?	oui	~~non~~	~~oui~~	non
Vous faites du sport?	oui	~~non~~	oui	~~non~~
Vous prenez souvent le train?	oui	~~non~~	~~oui~~	non
Vous lisez souvent?	oui	~~non~~	~~oui~~	non
Vous allez souvent au restaurant?	~~oui~~	non	oui	~~non~~
Vous buvez du vin à tous les repas?	oui	~~non~~	~~oui~~	non
Vous fumez?	oui	~~non~~	~~oui~~	non
Vous connaissez la Grèce?	~~oui~~	non	oui	~~non~~
Vous parlez une langue étrangère?	~~oui~~	non	oui	~~non~~

Alors, que dit cette enquête?

En 1963, M. et Mme Philippe Saule ....

....

....

....

....

....

....

....

Actuellement, leur fils Pierre Saule ....

....

....

....

....

....

....

....

(5) Dans votre pays, comment vivait-on il y a cent ans ?

....

....

....

....

....

....

....

Actuellement, maintenant, aujourd'hui	**Autrefois, avant, il y a quelque temps**	
nous connaissons Paris → **connaiss ...**	je connaiss**ais** tu connaiss**ais**	
nous prenons l'avion → **pren ...**	il pren**ait** nous pren**ions**	
nous faisons du ski → **fais ...**	vous fais**iez** ils fais**aient**	
nous sommes blasés →	j'ét**ais** nous ét**ions** ils ét**aient**	

DOSSIER 18

Comment sont-ils devenus champions?

Trois navigateurs à voile

Le journaliste : Comment **êtes**-vous **devenus** navigateurs ?

Alain Bekelec : D'abord, je **suis né** dans un pays marin, à Saint-Malo. Pendant nos années d'études, mes frères et moi, nous **sommes** très souvent **montés** sur les yachts des vacanciers pour y travailler et gagner un peu d'argent et je **suis resté** amoureux de la mer et de la navigation.

Paul Relat : Moi, au contraire, je **suis né** très loin de la mer. Mais quand j'avais treize ans, je **suis parti** faire un séjour de voile en Bretagne avec des camarades. C'est là que ma vocation **est née**.

Annie Dubost : En 1976, à l'âge de quinze ans, je **suis arrivée** à Vannes avec ma famille. Très vite, je **suis sortie** avec des copains amateurs de voile et je **suis devenue** passionnée de bateau, moi aussi. Nous **sommes** tous **restés** dans la région et nous nous voyons encore très souvent.

Article du journaliste

1. Alain Bekelec, Paul Relat et Annie Dubost sont tous trois passionnés de navigation à voile ; mais ils ne .... pas tous **devenus** navigateurs de la même façon.

2. Alain Bekelec .... **né** à Saint-Malo ; pendant leurs années d'études, ses frères et lui .... très souvent **montés** sur les yachts des vacanciers pour y travailler et gagner un peu d'argent et Alain .... **resté** amoureux de la mer et de la navigation.

3. Paul Relat, au contraire, ... loin de la mer. Mais quand il avait treize ans, il .... faire un séjour de voile en Bretagne avec des camarades. C'est là que sa vocation ....

4. Annie Dubost .... à Vannes en 1976 avec sa famille. Très vite elle .... avec des copains amateurs de voile et elle .... passionnée de bateau, elle aussi. Ils .... tous .... dans la région et ils se voient encore très souvent.

Le journaliste : Paul Relat et Annie Dubost, vous êtes maintenant mari et femme ; c'est sur la mer que vous **vous êtes rencontrés**. Vous **vous êtes mariés** aussi sur la mer ?

Annie Dubost : Presque ! Nous **nous sommes connus** en 1981 aux régates d'été dans le golfe du Morbihan. Je **me suis trouvée** par hasard sur le même voilier que Paul. Au début, il **s'est** un peu **inquiété** parce qu'il ne me connaissait pas. Mais, nous **nous sommes** beaucoup **amusés** et nous sommes arrivés premiers ! Bien sûr, après ces régates, nous **nous sommes** très souvent **revus**, sur la mer et ailleurs ! Et nous **nous sommes mariés** en 1982 à l'île aux Moines.

Article du journaliste

1. Paul Relat et Annie Dubost sont maintenant mari et femme. Ils **se** .... **connus** en 1981 aux régates d'été dans le golfe du Morbihan.
2. Annie **s'** .... **trouvée** par hasard sur le même voilier que Paul. Au début, Paul .... un peu **inquiété** parce qu'il ne la connaissait pas. Ils **se** .... beaucoup .... et ils sont arrivés premiers.
3. Bien sûr, après ces régates, ils .... très souvent .... sur la mer et ailleurs ! Ils .... en 1982 à l'île aux Moines.

Le journaliste : Alain Bekelec, vous **avez** toujours **navigué** en solitaire, n'est-ce pas ?

Alain Bekelec : Oui, j'**ai** toujours **navigué** seul, j'**ai** toujours **été** passionné de solitude. Mais, pendant mes voyages, j'**ai vu** beaucoup de pays, j'**ai travaillé** un peu partout, j'**ai connu** beaucoup de gens. Certains m'**ont ouvert** leur porte et j'**ai pu** vivre un peu avec eux. En Norvège, j'**ai rencontré** un pêcheur qui m'**a emmené** trois semaines sur son bateau. C'est lui qui m'**a** vraiment **appris** la mer.

3 Article du journaliste

1. Alain Bekelec .... toujours .... seul, il .... toujours .... passionné de solitude.
2. Mais, au cours de ses voyages, il .... beaucoup de pays. Il .... un peu partout, il .... beaucoup de gens.
3. Certains lui .... leur porte et il .... vivre un peu avec eux.
4. En Norvège, il .... un pêcheur qui l' .... trois semaines sur son bateau. C'est lui qui lui .... vraiment .... la mer.

Hier, **Il y a six ans,** **en 1960,**	je **suis** tu **es** il **est** nous **sommes** vous **êtes** ils **sont**	resté allé passé retourné arrivé entré sorti venu monté descendu tombé né mort	(-e) (-s) (-es)	
	je **me suis** tu **t' es** il **s' est** nous **nous sommes** vous **vous êtes** ils **se sont**	dépêché marié mis écrit compris connu ...	(-e) (-s) (-es)	
	j'**ai** tu **as** il **a** nous **avons** vous **avez** ils **ont**	commencé choisi lu conduit appris ...		

④ Gérard Massillon, alpiniste

1. **Le journaliste :** Gérard Massillon, vous êtes alpiniste.
   Comment ....-vous découvert la montagne?
2. **Gérard Massillon :** Je .... né à Tours, dans un pays de plaines. Mais, enfant, j'..... toujours aimé grimper partout, sur les murs, sur les chaises, sur les tables !
3. En 1980, je .... allé en vacances à la montagne chez des amis et là, j'..... rencontré un garçon qui voulait être guide de montagne.
4. Nous nous .... liés d'amitié et il m'..... emmené faire de petites ascensions avec ses copains.
5. Un jour, nous .... partis tous les deux dans le massif du Mont Blanc pour une journée. Mais nous .... restés bloqués à cause d'un orage et nous .... perdu tout notre matériel.

6. Nous .... attendu les secours vingt-six heures! C'est ce jour là que j'..... découvert ma vocation d'alpiniste!

7. A la fin des vacances, je .... retourné à Tours, mais deux ans plus tard, je me .... installé à Chamonix près de chez mon ami; et ma vie d'alpiniste ..... commencé!

(5) Equipe de France de ski alpin: Annie Goualen

Date de naissance:	22/06/1958
Lieu de naissance:	Annecy
De 1970 à 1977	: Etudes secondaires au lycée d'Annecy.
1977	: Baccalauréat (épreuve de ski: 18 sur 20).
De 1968 à 1974	: Equipe adolescente féminine de Haute-Savoie, participation à des compétitions.
Mars 1974	: Entrée à l'équipe de France.
1975	: 1ere place aux championnats de Haute-Savoie.
1976	: Jeux Olympiques d'Innsbrück: médaille d'argent slalom géant.
1979	: Professeur de ski à Chamonix.
1980	: Jeux Olympiques de Lake Placid.
Depuis 1980	: Directrice de l'école de ski de Chamonix.

Interview d'Annie Goualen

Le journaliste : Racontez-nous votre histoire, Annie Goualen.
Vous êtes originaire d'Annecy, n'est-ce pas?

Annie Goualen : Oui, ...

J. : Vous avez fait vos études à Annecy?

A.G. : ....

J. : Et vous avez le baccalauréat bien sûr! Avec épreuve de ski?

A.G. : ....

J. : Vous avez fait partie d'une équipe pendant vos années d'études?

A.G. : ....

J. : Et vous avez obtenu de nombreux succès?

A.G. : ....

J. : Et les Jeux Olympiques?

A.G. : ....

J. : Pas de médaille?

A.G. : ....

J. : Qu'avez-vous fait depuis les Jeux Olympiques?

A.G. : ....

J. : Je sais que vous avez encore de grands projets et je vous souhaite bonne chance, Annie Goualen.

A.G. : Merci beaucoup.

⑥ Comment avez-vous fait? Comment ont-ils fait?

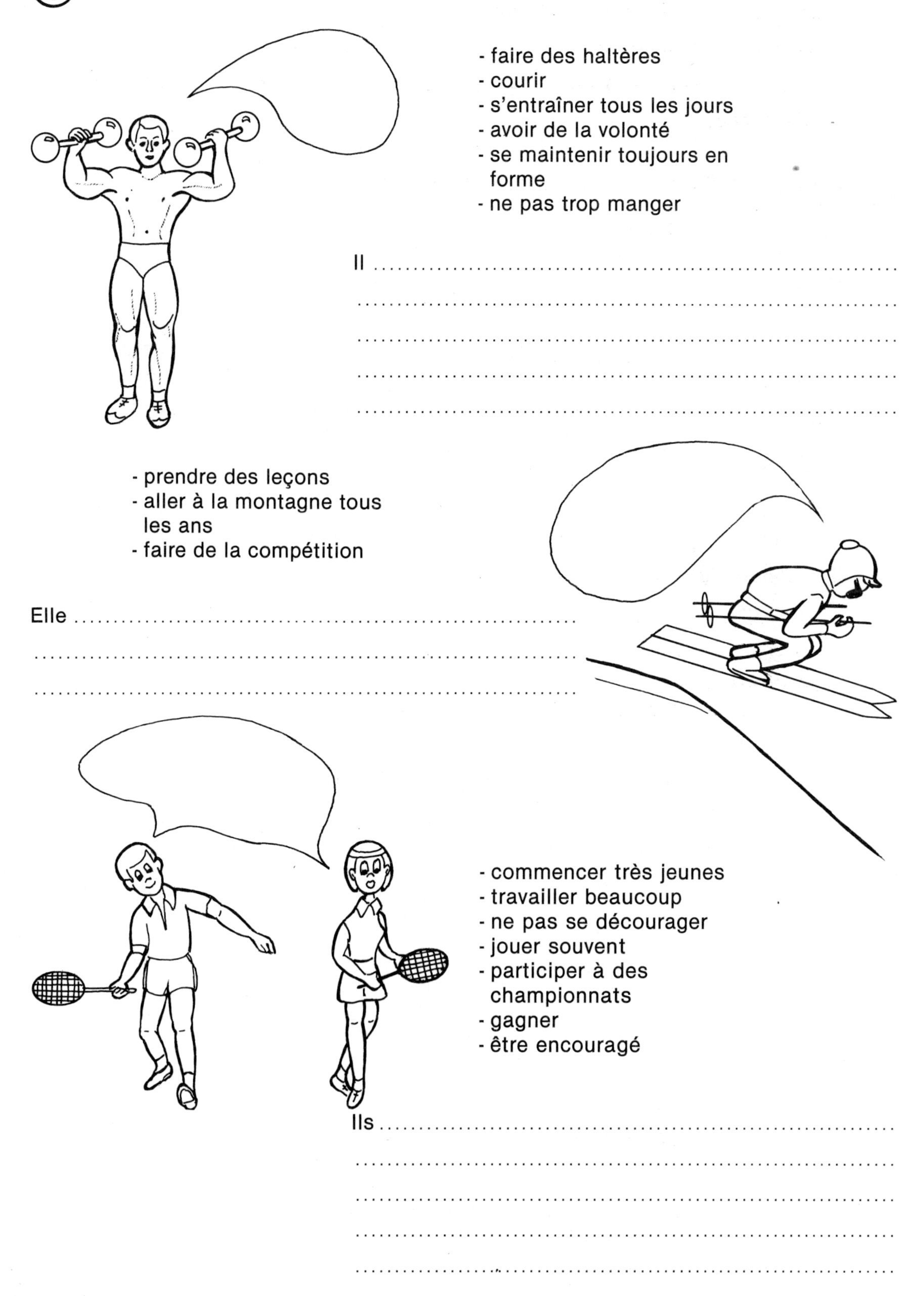

- faire des haltères
- courir
- s'entraîner tous les jours
- avoir de la volonté
- se maintenir toujours en forme
- ne pas trop manger

Il ....
....
....
....
....

- prendre des leçons
- aller à la montagne tous les ans
- faire de la compétition

Elle ....
....
....

- commencer très jeunes
- travailler beaucoup
- ne pas se décourager
- jouer souvent
- participer à des championnats
- gagner
- être encouragé

Ils ....
....
....
....
....

7 Et vous, avez-vous une passion? (sportive ou autre) Comment est-elle née?

....

....

....

....

....

1 Dictionnaire :

aider	→	aid**é**
aller	→	all**é**
rencontrer	→	rencontr**é**
...		...

2

finir	→	fin**i**
choisir	→	chois**i**
dormir	→	dorm**i**
partir	→	part**i**
...		...
suivre	→	suiv**i**
...		

3

écrire	→	écr**it**
dire	→	d**it**
conduire	→	condu**it**
...		...

4

mettre, **ad**mettre ...	}	m**is**
prendre, **ap**prendre, **com**prendre ...	}	pr**is** ...

5

ouvrir, couvrir, **dé**couvrir ...	}	ouv**ert** ...
offrir	→	off**ert**

6

attendre	→	attend**u**
entendre	→	entend**u**
perdre	→	perd**u**
répondre	→	répond**u**
connaître	→	conn**u**
venir, **de**venir ...	}	ven**u**
tenir, **ob**tenir ...	}	ten**u**
courir	→	cour**u**
lire	→	l**u**
vivre	→	véc**u**
vouloir	→	voul**u**
falloir	→	fall**u**
recevoir	→	reç**u**
décevoir	→	déç**u**
voir	→	v**u**
boire	→	b**u**
savoir	→	s**u**
pouvoir	→	p**u**
devoir	→	d**û**
pleuvoir	→	pl**u**
plaire	→	pl**u**

7

peindre	→	p**eint**
plaindre	→	pl**aint**
...		...

8

être	→	**été**
avoir	→	**eu**
faire	→	**fait**
naître	→	**né**
mourir	→	**mort**

DOSSIER 19

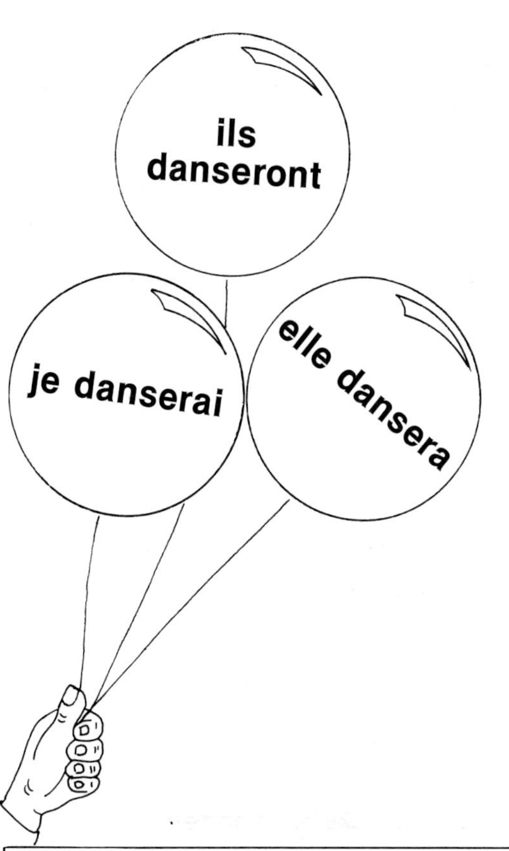

On verra bien!

«Cher Diego,

Ne t'inquiète pas, tout est prévu pour ton séjour en France cet été.
Dès que tu **arriveras**, je te **trouverai** un logement et un travail. Mais bien sûr, nous **resterons** quelques jours en vacances à Paris ! Tu **connaîtras** enfin la capitale !
Le 1er juin, nous **partirons** pour Nice où mes amis Moisan t'**hébergeront** tout l'été ; ils te **présenteront** à leur fils Pierre.
Comme Pierre est restaurateur, il te **proposera** sûrement de travailler avec lui. Vous vous **entendrez** certainement bien parce qu'il adore, comme toi, les longues promenades en mer et la pêche sous-marine...»

Tout est prévu

1. «**Je** ne rester......... que quelques jours avec toi à Nice car j'ai beaucoup de travail à Paris, mais **nous** nous téléphoner......... souvent, comme ça, **tu** ne te sentir...... pas trop isolé.»

2. «Evidemment, **je** t'attendr......... à Orly le 25 mai à 16 h 20. Je suis sûr que **tout** se passer......... bien pour toi et que .... apprécier**as** beaucoup ton séjour en France.»

3. «Encore deux mois et **nous** nous retrouver......... à Paris ! **Je** te montrer......... les monuments, les vieux quartiers et **tu** te promèner......... sur les quais de la Seine !»

4. «**Ta tante Maria** t'expliquer......... le système des autobus et du métro. .... t'accompagner**a** dans tous les musées. Moi, **je** vous attendr......... dehors !»

5. «Bien sûr, **nous** te conduir......... à Versailles et à Fontainebleau ! .... trouver**as** tout merveilleux ! Nous t'attendons avec impatience. Affectueusement. Ton oncle Thomas.»

«Cher oncle Thomas,

1. Oui, ... à Orly le 25 mai à 16 h 20, heure locale ! J'espère que .... à l'aéroport mais si tu es trop occupé, je pren........... un taxi qui me .... directement chez vous.»

2. «Tu crois que je trouv........... facilement un travail à Nice ? Tu crois que Pierre Moisan accept........... vraiment de m'employer dans son restaurant ?»

3. «En tout cas, tu sais que mes parents me .... assez d'argent pour rester en France trois mois mais, si c'est possible, ... travaill....... avec plaisir ! Ça m'occup........... pendant la journée et ça me permet........... de connaître le métier de restaurateur !»

4. «Si Pierre Moisan a un bateau à voile, il m'emmen............ sûrement avec lui. Je suppose que nous part............ en mer les jours de congé et que nous sort....... souvent ensemble le soir.»

5. «Mais Pierre Moisan et ses amis refus............ peut-être de sortir avec moi. Ils .... peut-être que je suis encore trop jeune.»

6. «De toute façon, je m'habitu............ bien à la vie à Nice et .... probablement des jeunes de mon âge sur la plage!»

7. «J'espère aussi que tout le monde compren............ mon français! En tout cas, je ne parl............ que le français, sauf avec tante Maria, bien sûr! .... espagnol ensemble!»

8. «Quand nous descend............ à Nice le 1er juin, est-ce que .... voyage... de jour ou de nuit? J'espère que .... pren............ le T.G.V. C'est le train le plus rapide du monde!»

9. «J'espère que tu descend............ une fois par mois à Nice et que tante Maria t'accompagn............!»

10. «Je sais que vous avez beaucoup de travail mais j'espère bien que .... pren............ quelques semaines de vacances au mois d'août! Dans un mois, ... l'avion pour la première fois. Je vous embrasse tous les deux.» Diego.

Premiers projets de week-end de Diego à Nice

- J'espère qu'on **fera** du bateau ce week-end...
- Ça dépend du temps. Quelles sont les prévisions météorologiques?
- Ah ça, je ne sais pas! Regarde dans Nice-Matin!
- «Prévisions météorologiques du 11 juin: dans la matinée, la mer **sera** houleuse; il y **aura** un vent très fort; le temps **sera** orageux; il **fera** froid sur toute la France.»
- Ça s'annonce mal!
- «Dans l'après-midi, il **pleuvra** et il **faudra** s'attendre à de violentes rafales sur la côte méditerranéenne.»
- Nous ne **pourrons** pas faire de bateau demain! Pierre ne **voudra** pas partir en mer, tu **verras**!
- Nous n'**irons** pas à la plage non plus!
- Alors, nous **devrons** rester à la maison toute la journée?
- Ne t'inquiète pas! On **verra** bien! On **saura** bien s'amuser autrement!
- Tu as raison, on **ira** au cinéma ou on **recevra** peut-être la visite de mon oncle Thomas: il **viendra** sûrement à Nice ce week-end...

En bref

1. A cause du mauvais temps, Diego et son ami ne .... pas de bateau ce week-end.
2. Mais, ils ne .... pas rester à la maison toute la journée!
3. Ils .... au cinéma ou au théâtre.
4. Diego .... peut-être la visite de son oncle Thomas.
5. Vous .... ce que Diego .... ce week-end en lisant la suite!

En consultant le journal

CINEMAS

AVENUE (33, avenue Jean-Médecin).
- **Nous irons tous au Paradis**, 14.30, 16.30, 18.30, 20.30.

BALZAC (60, avenue Jean-Médecin).
- **Tant qu'il y aura des hommes**, 14.30, 17.20, 20.10, 23.00.

MELIES (56, boulevard Risso).
- **Le train sifflera trois fois**, 14.15, 16.55, 19.25, 22.00.

RIALTO (4, rue de Rivoli).
- **J'irai cracher sur vos tombes**, 14.30, 17.00, 19.30, 22.00.

ROYAL (29, avenue Malausséna).
- **Quand tu seras débloqué, fais-moi signe**, 14.30, 16.30, 18.30, 20.30.

THEATRE

THEATRE 12. 21.30.
- **La Guerre de Troie n'aura pas lieu**, de Jean Giraudoux, par les Comédiens du Hasard.

1. - Quels sont les films à voir ce week-end?
   Tu .... avec moi au cinéma?
   - On ....! Ça dépendra des programmes.
2. - Attends, je vais consulter le journal:
   «Nous .... tous au Paradis»;
   «Tant qu'il y .... des Hommes»;
   «Le train .... trois fois»;
   «J'.................. cracher sur vos tombes»;
   «Quand tu .... débloqué, fais-moi signe».
3. - Ah! non, je n'................. pas au cinéma!
   .... faudra trouver autre chose à faire.
   On .... toujours regarder la télé.
4. - Attends! Dimanche, il y a une pièce de théâtre de Giraudoux.
   - Qu'est-ce que c'est?
   - «La Guerre de Troie n'...................... pas lieu»
5. - Tu crois que ce .... intéressant?
   - Allons-y toujours! On .... bien!
6. - Je suis sûr que Pierre ne .... pas venir avec nous.
   - Eh bien, nous .... seuls!
7. - Mais lui, qu'est-ce qu'il .... toute la journée?
   - Il .... voir sa petite amie! Ne t'inquiète pas pour lui!
8. - Tu crois que nous .... passer la journée sans Pierre?
9. - C'est incroyable enfin! Tu ne .... jamais rien faire sans Pierre Moisan!
10. - Eh bien, si tu veux, nous .... au théâtre mais j'espère bien que mon oncle et ma tante .... à Nice ce week-end. Comme ça, nous .... autre chose.

5) A votre avis, que fera Diego dimanche?

- Le matin, ...
- A midi, ...
- L'après-midi, ...
- Le soir, ...

Et vous, que pensez-vous faire dimanche prochain?

- Le matin, ...
- A midi, ...
- L'après-midi, ...
- Le soir, ...

Vous pouvez prévoir le temps qu'il fera le week-end prochain?

....

....

....

....

....

....

6) Pour être sûr que vos amis vous retrouvent, laissez-leur votre itinéraire de voyage

....

....

....

....

....

....

7) Quelles seront les vacances des hommes en l'an 3000?

....

....

....

....

Dictionnaire					
arriver	→	**arriver**...			
rester	→	**rester**...			
...					
partir	→	**partir**...			
sortir	→	**sortir**...	je ...**ai**		
...			tu ...**as**	**demain.**	
			il ...**a**	**bientôt.**	
attendr**e**	→	**attendr**...	nous ...**ons**	**un jour.**	
apprendr**e**	→	**apprendr**...	vous ...**ez**		
conduir**e**	→	**conduir**...	ils ...**ont**		
lir**e**	→	**lir**...			
dir**e**	→	**dir**...			
connaîtr**e**	→	**connaîtr**...			
...					

Attention !

			je ...**ai**		
app**eler**	→	**appeller...**	tu ...**as**		
ach**eter**	→	**achèter...**	il ...**a**	**bientôt.**	
lever	→	**lèver...**	nous ...**ions**	**demain.**	
emm**ener**	→	**emmèner...**	vous ...**iez**	**un jour.**	
			ils ...**aient**		

être	→	**ser**...			
avoir	→	**aur**...			
savoir	→	**saur**...			
voir	→	**verr**...			
envoyer	→	**enverr**...			
faire	→	**fer**...			
recevoir	→	**recevr**...	je ...**ai**		
aller	→	**ir**...	tu ...**as**	**bientôt.**	
venir	→	**viendr**...	il ...**a**	**l'année**	
tenir	→	**tiendr**...	nous ...**ons**	**prochaine.**	
devoir	→	**devr**...	vous ...**ez**	**en 3001.**	
vouloir	→	**voudr**...	ils ...**ont**		
falloir	→	**faudr**...			
pleuvoir	→	**pleuvr**...			
courir	→	**courr**...			
mourir	→	**mourr**...			

DOSSIER 20

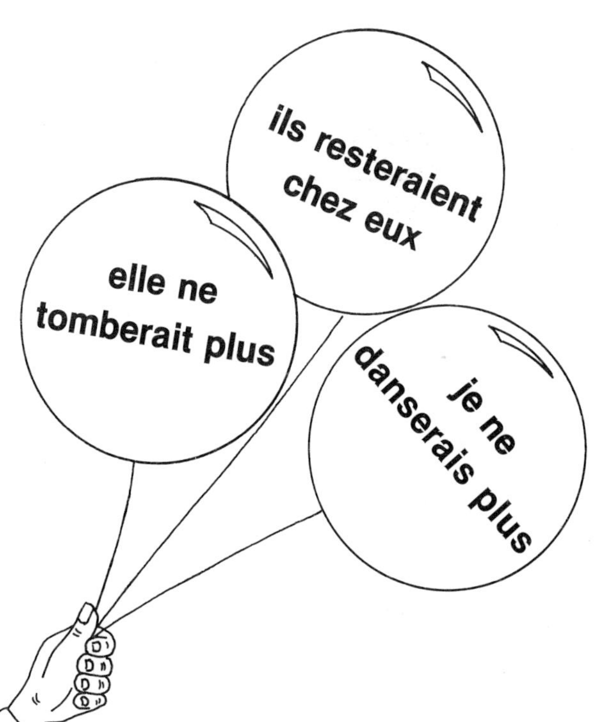

Et qui sait?

Michèle et Annie rêvent de $ $ $ $ $!

- Nous, nous ne travaill**erions** plus!
- Mais, en ce cas, vous n'**auriez** rien à faire!
- Mais si. Moi, je jou**erais** enfin du piano et je li**rais** tous les livres possibles.
- Et ton mari, qu'est-ce qu'il fe**rait**?
- Lui, il s'occup**erait** de son jardin et il **irait** à la pêche. De temps en temps, nos amis **viendraient** nous voir.

1 On peut toujours rêver!

1. - **Ce** ne .... pas très drôle comme vie!
2. - Mais si! **Nous** .... un grand yacht et tous les ans nous .... en mer.
3. - Mais alors, **tu** ne .... plus de piano!
4. - Mais si! **Il** y .... un piano sur le yacht, bien sûr!
5. - Et ton mari? **Il** ne .... plus s'occuper de son jardin!
6. - Non, mais **il** .... un jardinier! De toute façon, **nous** ne .... en mer que pendant l'hiver.
7. - Moi, **je** préférer..... voyager. **Je** .... le tour du monde. **J'** .... en Inde, au Japon, en Thaïlande.
8. - Mais **tu** .... seule?
9. - Pas du tout! **Mes enfants** .... avec moi évidemment! **Nous** voyag .... tous ensemble!
10. - Alors **ils** ne travaill............ plus? .... s'ennuier**aient**!
11. - Tu as raison! Heureusement que nous ne sommes pas millionnaires!

2 L'homme idéal, la femme idéale : « ....

....

....

.... »

Messages

1. **Pourrais-tu** me laisser les clés chez la concierge?
2. **Voudriez-vous** nous accompagner au théâtre, mercredi prochain?
3. Je **voudrais** savoir quelle est la date limite des inscriptions universitaires.
4. Votre mère **accepterait-elle** de prendre une jeune étrangère chez elle?
5. Nous **aimerions** vous recevoir chez nous pendant les vacances.

3 Il en demande des choses!

1. Je .... savoir quels sont les horaires des trains pour Nice.
2. Monsieur, ... m'indiquer le prix d'une semaine de ski dans votre station?
3. Madame, je .... louer votre chalet du 25 février au 18 mars.
4. Chers amis, nous .... savoir si vous êtes libres lundi prochain.
5. Mes enfants .... loger chez vous pendant leurs vacances d'été?
6. Cher collègue, j'...................... vous rencontrer à Paris la semaine prochaine.

4 Petits mots

Pour votre propriétaire : « ....

.... »

Pour votre concierge : « ....

.... »

Pour votre professeur : « ....

.... »

Opinions de rue : changer la vie!

- On **devrait** interdire aux jeunes de faire de la moto!
- On **ferait mieux de** faire travailler les détenus!
- On ne **devrait** pas laisser les chiens salir les rues!
- On **pourrait quand même** créer plus de jardins publics!
- **Il vaudrait mieux** interdire la vente des cigarettes!
- **Il faudrait** supprimer les contraventions!

Voyez-vous des solutions?

1. - Dans les villes, on ne construit que des tours.

   - ....

2. - Les gens boivent beaucoup trop.

   - ....

3. - Les voitures polluent les rues.

   - ....

4. - Des gens meurent de faim dans le monde.

   - ....

5. - On achète trop de médicaments.

   - ....

⑥ Qu'aimeriez-vous changer à l'école?

....

....

....

....

Pas d'accord!

- Je pense acheter une voiture américaine.
- **A votre place, j'achèterais** une voiture française : c'est plus économique.
- Ma fille prétend que les voitures américaines sont plus solides.
- **A votre place**, je ne l'**écouterais** pas!
- Elle va prendre une Cadillac l'année prochaine.
- **A sa place, je prendrais** une Peugeot!

7 A l'heure du thé

1. - Ma fille espère **s'installer** en Bretagne.
   - ...., ... plutôt à Paris!
2. - Nous avons l'intention de **prendre** nos vacances en juillet.
   - ...., ... en août, il fait plus chaud.
3. - Les Saule ont décidé de **louer** un studio au bord de la mer.
   - ...., ... plutôt une villa : c'est plus agréable.
4. - La semaine prochaine, c'est l'anniversaire de mon fils et je ne sais pas quoi lui **offrir**.
   - ...., ... une nouvelle raquette de tennis : ça lui ferait certainement plaisir.

⑧ Conseils à votre ami

« ....

....

....

.... »

Journal (informations non vérifiées)

- «Le Président de la République **serait** gravement malade.»
- «Le prix des alcools et des cigarettes **augmenterait** de 30% au printemps.»
- «Les Ministres de l'agriculture européens se **rencontreraient** à Strasbourg le mois prochain.»
- «En Italie, il y **aurait** des élections législatives avant la fin de l'année.»
- «A Marseille, attentat à la bombe: il y **aurait** plus de 40 victimes.»

9 Comment vivent les Français

1. Selon un sondage paru dans le journal «Vive la France», les Français .... moins d'alcool qu'en 1980.
2. Ils .... plus d'argent pour leurs loisirs.
3. Ils .... tous un téléviseur et une voiture.
4. Leur niveau de vie .... supérieur à celui des Italiens.
5. Chaque ménage français .... en moyenne 1 000F par an en électro-ménager.
6. Plus de 20% des Français .... une résidence secondaire.
7. Un ménage français sur trois .... un magnétoscope vidéo.
8. Un Français sur trois .... l'avion plusieurs fois par an.

10 Et si les écologistes étaient au pouvoir... Qui sait?

LA PLAGE

MAJA

PLUS DE PAVÉ DES PLAGES

© Daniel MAJA

«A Paris, ...
....
....
....
....
....»

Chez nous, ...
....
....
....
....
....
....
....

Dictionnaire

arriver	→	**arriver...**		
rester	→	**rester...**		
...				
partir	→	**partir...**		
sortir	→	**sortir...**	je	...**ais**
...			tu	...**ais**
			il	...**ait**
attendre	→	**attendr...**	nous	...**ions**
apprendre	→	**apprendr...**	vous	...**iez**
conduire	→	**conduir...**	ils	...**aient**
lire	→	**lir...**		
dire	→	**dir...**		
connaître	→	**connaîtr...**		
...				

Attention !

			je	...**ais**
appeler	→	**appeller...**	tu	...**ais**
acheter	→	**achèter...**	il	...**ait**
lever	→	**lever...**	nous	...**ions**
emmener	→	**emmener...**	vous	...**iez**
			ils	...**aient**

être	→	**ser...**		
avoir	→	**aur...**		
savoir	→	**saur..**		
voir	→	**verr...**		
envoyer	→	**enverr...**		
faire	→	**fer...**	je	...**ais**
recevoir	→	**recevr...**	tu	...**ais**
aller	→	**ir...**	il	...**ait**
venir	→	**viendr...**	nous	...**ions**
tenir	→	**tiendr...**	vous	...**iez**
devoir	→	**devr...**	ils	...**aient**
vouloir	→	**voudr...**		
falloir	→	**faudr...**		
pleuvoir	→	**pleuvr**		
courir	→	**courr...**		
mourir	→	**mourr...**		

Achevé d'imprimer sur les presses de Maury-Imprimeur S.A.
45330 Malesherbes
N° d'imprimeur : H 89/27536 – Dépôt légal : 11390 – Août 1989